이제부터 새 출발이다

지난 70년과 버킷리스트

이제부터 새 출발이다

발행 2024년 08월 01일
저자 박성환
펴낸이 한건희
펴낸곳 주식회사 부크크
출판사등록 2014. 07. 15(제2014-16호)
주소 서울특별시 금천구 가산디지털1로 119 A동 305호
전화 1670-8316
E-mail info@bookk.co.kr
ISBN 979-11-410-9619-9

www.bookk.co.kr

이제부터 새 출발이다

- 지난 70년과 버킷리스트

당인(當人) 박성환 지음

BOOKK

자서전을 출간하며

초등학교 다닐 때 나는 미술 과목에 콤플렉스가 있었다. 다른 과목은 재미도 있고 성적도 우수했는데, 미술은 '미'를 벗어나지 못했다. 그림 잘 그리는 친구들이 부럽기도 하고 존경스럽기도 했다. 어린 마음에 미술을 잘하는 여자와 꼭 결혼해야겠다고 다짐하곤 했다.

얼마 지나지 않아 그 콤플렉스는 글쓰기로 바뀌었다. 펜팔을 할 때는 노래 가사나 시집, 수필집 등에서 좋은 말을 빌려와서 사용했다. 조직 생활에서는 딱딱하지만 법조문에 충실하려고, 육하원칙에 따라 표현하려고 애썼다. 그러나 내 진심을 충분히 그리고 솔직하게 표현하지 못한듯하여 마음 한구석엔 늘 아쉬움과 미안함이 남아있었다.

울산시 부시장 시절, 퇴직을 앞둔 직원들을 위해 '자서전 작성방법'에 대한 강좌를 개설한다고 하여, 나도 그 프로그램에 참여했다. 서울에 있는 작가를 초청해서 주 1회, 정해주는 주제에 관해 글을 작성하고 돌아가면서 발표를 하면 작가 선생님이 피드백을 해주었다.

그렇게 6개월 정도 진행을 하면서 나도 퇴직을 앞두고 자서전을 만들고 싶다는 생각을 하게 되었다. 그 후 몇 차례 시도하였으나 내용에 부족한 점이 많고 언급되는 지인들과의 관계도 조심스러워 포기하기를 반복했다.

이제 조직 생활도 마무리했고 특히 올해는 내 나이 칠십이 되는 해이다. 내용에 부족한 점이나 결례가 되는 점이 있더라도, 노인이 되더니 기억력이 떨어져서 그러려니 사람들이 이해해 주리라 믿고 젖 먹던 용기까지 내서 이렇게 마무리를 하게 되었다.

자서전 내용은 사람들과의 추억과 인연을 정리하고자 크게 세 주제로 나누었다.

첫째는 코흘리개 어린 시절부터 학창 시절까지 인연을 맺고 지금까지 같이 만나는 친구들과 과거 추억을 공유하는 내용이다.

둘째는 조직 생활을 하며 인연을 맺었던 동료들과의 인간관계, 에피소드, 감사와 용서를 구할 일들을 회상해 정리하였다.

마지막으로는 내가 가장 사랑하는 아내와 두 아들, 두 며느리, 지안이, 키키, 별이 등 세 명의 손자·손녀에게 나에 대한 기록을 남겨놓고 싶어 적은 글들이다.

자서전을 쓰면서 나는 글쓰기가 정말 쉽지 않다는 점을 새삼 깨달았다. 내용상 많이 부족한 점, 사전 동의 없이 내 삶 이야기에 소환된 친구와 동료분들께 이해와 용서를 구한다. 또한 아내, 아들, 며느리, 손자, 손녀에게 정말 사랑한다는 말을 전한다.

책을 편집, 교정 및 발행을 하는 데 아낌없는 도움을 주신 김해용 전 매일신문 논설주간님과 정달 이상일 작가님께 무한 감사를 드린다.

제 1장

유소년 시절의 추억

나 태어나고 자란 고향

나는 경상북도 영일군 죽장면 봉계리에서 태어났다. 해발 400m 정도 되는 두메산골이다. 나는 베이비붐 세대 1세대라고 할 수 있다.

봉계리 마을은 서쪽에 베틀 모양의 바위가 정상에 있고, 이 베틀봉은 해발 934m나 된다. 내 고향은 그야말로 산 높고 골 깊은 오지 마을이다. 전체 50호 정도 되는데 논농사보다 밭농사를 많이 지었으며 화전을 일구어 살아가는 사람들도 있었다. 보리, 담배, 고추, 감자 그리고 조 등을 주로 경작했다. 산아제한이 안 되어 집집마다 식구들이 많았고, 보릿고개가 닥치면 칡뿌리와 소나무 껍질로 식량을 보충하는 가구들도 있었다.

어린 시절 내가 살던 마을은 아랫마을, 큰마을 그리고 두문리라는 이름의 세 개 자연부락이 100m 정도씩 떨어져 있었다. 우리 마을에는 심·천·박·최 씨 성을 가진 일가친척들이 모여 살았다. 아랫마을과

큰마을 사이에는 수백 년 된 당나무가 있었고, 매년 단오에 한 번씩 동네 사람들이 모여서 당나무에 제사를 올렸다. 그곳에는 편의시설이 갖추어져 있어서 여름이면 마을 사람들이 모여 피서도 하고 음식을 나누어 먹기도 했다.

우리 집은 아랫마을 최고 위쪽에 있었다. 뒤에는 높은 산이 있고, 앞에는 개울이 흘렀다. 전형적인 배산임수 터였다. 50m 정도 위쪽 당나무가 훤히 보여서 여름이면 경치가 좋았고, 시원했다.

우리 집은 큰채, 아래채, 담배 창고, 뒤주, 마당, 그리고 소마당으로 구성되어 있었고, 전체 대지가 200평 남짓했다. 어릴 때 우리 집은 초가지붕이었으나, 내가 중학교 다닐 때 함석 슬레이트집으로 개축을 했다

앞에서 본 큰 채 모습

큰채에는 부엌과 방 세 개가 있었다. 앞쪽 마루를 통하여 방 세 개와 부엌이 연결되어 있었다. 방 세 개는 모두 온돌로 되어 있었고, 아궁이마다 큰 가마솥들이 걸려 있었다. 부엌 쪽에 있는 방을 큰방이라

고 불렀고 큰 며느리인 어머니와 동생들이 사용했다. 가운데 방은 작은아버지 내외와 사촌들이 기거했다. 부엌 반대쪽 방은 할머니와 내가 사용했는데, 거기에 걸린 가마솥은 주로 쇠죽을 끓이는 용도였다.

아래채에는 디딜방아, 소 마구간, 방 한 개 그리고 재래식 화장실이 딸려있었다. 집 앞에 정미소가 있었으나 쌀과 보리 정도만 찧을 수 있어서 나머지는 디딜방아를 자주 이용했다. 소는 한두 마리 먹였는데, 낮에는 소마당에 메어 두었다가 밤에는 마구간에서 잠을 자도록 했다. 아래채 방은 주로 머슴들이 이용했는데, 머슴이 같은 마을 사람인 경우에는 자기 집으로 출·퇴근을 해서 비워두기도 했다.

뒤주는 큰채와 아래채 사이 모퉁이에 있었다. 송판으로 짜서 만들었는데, 크게 두 칸으로 나누어져 있었다. 한 칸에는 벼를, 나머지 한 칸에는 잡곡과 산나물 등을 보관했다. 담배 창고는 큰채 뒤쪽에 있었고, 담뱃잎을 건조하는 용도로 사용되었다.

높이는 아파트 2층 정도였고, 벽 중간에 유리를 끼워서 담뱃잎이 건조되는 것을 맨눈으로 확인할 수 있도록 하였다. 안에는 새끼로 엮은 담뱃잎을 매달 수 있도록 가로 막대를 설치해 두었다. 담뱃잎을 말릴 때는 2~3일 정도 불을 넣는데, 처음에는 약하게 해서 담뱃잎이 노랗게 변하면 그때부터 열을 세게 넣어서 그대로 건조했다. 노란색이 나는 것이 특급 상품으로 인정받아 값도 비싸게 쳐주었기 때문이다.

옛 담배창고 모습

울타리는 돌담으로 되어 있었고 대문은 싸리문이었다. 싸리문이라 해서 모든 재료를 싸리나무로 만든 것은 아니고, 참나무 가지도 섞어서 칡넝쿨로 묶어서 만들었다. 대문 양쪽은 굵은 나무로 기둥을 세웠고, 아기가 태어나면 그 표식을 매달기도 했고, 국경일이면 태극기를 묶어 세우기도 했다.

부엌 앞과 옆에는 장독대가 있었다. 식구 수가 많아서 된장 항아리와 간장 항아리는 어린아이들 키보다 더 컸다. 장독대 옆에는 여러 가지 꽃들이 심겨 있었는데, 특히 창포와 인동초가 생각난다. 가을에 메주를 만들어 방안 시렁에 메어 두었다가 된장을 담그기 전 아랫목에 이불을 덮어서 한 번 띄웠는데, 그 냄새가 무척이나 싫었던 기억이 난다.

뭘 하며 놀았나?

어렸을 때는 게임기나 컴퓨터와 같은 놀이 기구가 없어서 나는 주로 자연과 더불어 놀면서 시간을 보냈다. 여름에는 개울에서 수영을 하거나 물고기를 잡았고, 겨울에는 물가 얼음 위에서 썰매를 타며 놀았다.

내가 살던 아랫마을에는 '호뭉탕'이라는 큰 물웅덩이가 하나 있었다. 그 폭은 4m, 길이 20m였고 가운데의 물 깊이는 2m 정도 되었다. 그 위 높은 곳에는 홈을 판 통나무가 걸쳐져 관개용수가 흐르게 하였다. 물웅덩이 양쪽은 바위여서 마을 아이들은 물놀이를 하다가 추우면 그곳에 앉아서 몸을 말리곤 했다.

우리는 거기서 수영시합을 하거나 홈 패인 통나무나 양쪽 바위에 올라가 뛰어내렸다. 하루는 선수들처럼 머리부터 물에 떨어지는 다이빙을 하다가 얼굴을 바위에 부딪혀서 피범벅이 되기도 했다.

마을 아이들은 대부분 수영을 잘했다. 특별히 체계적으로 배우지는 않았으나 같이 어울려 놀다 보니 자연스럽게 익히게 된 것이다. 처음에는 얕은 곳에서 개헤엄부터 시작했는데 초등학교 들어갈 나이가 되면 자연스럽게 다양한 종류의 영법을 구사하게 되었다.

여름에는 개울에서 물고기를 잡으며 놀았다. 우리 시골에는 일급수에만 사는 생물인 가재와 버들치, 쪽구리, 메기, 뱀장어, 미꾸라지, 퉁거리 등이 서식했다. 퉁거리는 등에 침이 있어서 손으로 잡다 찔리기도 했고, 가재도 집게발에 집히면 제법 아팠다. 가재는 밤에 초롱불이나 손전등을 물가에 비추면 돌 밑에서 꾸물꾸물 기어 나와서 그냥 그릇에 주워 담으면 되었다. 다슬기는 낮에 돌 밑에 들어가 있다가 날씨가 흐리거나 비가 오면 물가로 기어 나왔다. 비 오는 날은 못에 가서 낚시도 했지만, 개울에서 다슬기를 줍기도 했다.

그때는 물고기를 잡는 도구가 거의 없었다. 손으로 잡거나, 싸리나무 소쿠리, 큰 망치 등을 주로 사용했다. 싸리나무 소쿠리를 이용하면 작은 고기들은 빠져나갔고, 큰 망치로 돌을 세게 쳐서 고기를 잡다 보면 돌이 튀어서 다치기도 했다. 또 독풀을 찧어 물에 풀어서 고기를 잡기도 했고, 원래의 물길을 돌린 후 웅덩이의 물을 퍼서 고기를 잡기도 했다.

그 어떤 고기 잡는 방법도 노력에 비해서 성과가 그리 크지 않았다. 최근에는 고기 잡는 방법도 많이 발전했다. 반도나, 투망, 어항이나, 불법이지만 배터리를 사용하는 이들도 있다. 잡은 물고기 중 쪽구리나 버들치 등은 날것으로 초장에 찍어 먹었고, 나머지는 나뭇잎에 싸서 구워 먹거나 양이 많으면 추어탕이나 매운탕을 만들어 먹었다.

시골 마을은 겨울이면 무척 추웠다. 초겨울에 개울물이 얼면 3월 초까지 녹지 않았다. 겨울철 아이들이 하는 대표적 놀이는 썰매 타기였다. 시장에서 썰매를 팔지 않았고, 모두 집에서 직접 만들어서 탔다. 겨우내 썰매를 타다 보니까 썰매 타는 기술도 늘었다. 쪼그리고 썰매 위에 앉아서 엉덩이를 물새처럼 들었다 놨다 하면서 가속도를 붙였고, 언덕을 오르거나 제법 높은 곳에서 뛰어내리기도 했다.

시골의 겨울밤은 유난히도 길었다. 그때는 TV도 없었고 마땅히 놀거리도 없었다. 어른들은 새끼도 꼬고 가마니도 짰다. 아낙네들은 수도 놓고, 바느질도 했다.

나는 형들이 밤에 모여 화투놀이 하는 것을 어깨너머로 보고 배웠고, 친구들과 함께 아주 어려서부터 화투를 했다. 화투놀이 종류로 민화투, 뻥, 짓고땡, 육백 등 몇 가지가 있었는데, 처음에는 민화투부터 배워서 나중에는 주로 육백을 치면서 놀았다. 그때는 그것이 그렇게 재미있었다. 날씨가 따뜻할 때는 산기슭에 모여서 화투를 치기도 했다. 지는 사람은 손등을 맞거나 벌칙을 당하기도 했지만, 담배 내기나 성냥 내기도 했다. 모두 동네 형들이 하는 행동을 그대로 배운 것이었다.

나의 할머니, 어머니, 아버지

(1) 할머니에 대한 추억

할머니는 내게 아주 특별한 존재였다. 아니 반대로 내가 할머니에게 특별한 존재였다고 하는 것이 맞을 것 같다.

나는 우리 집안에서 9대 종손으로 태어났다. 아버지가 일찍 돌아가셔서 할머니에게 나는 아들 겸 손자요, 대를 이을 후계자였다. 당신이 돌아가시면 묘지에 벌초도 하고 명절과 기일마다 제사를 지내줄 사람이라고 여겼기 때문일 것이다. 나는 태어난 후 어머니 젖을 먹었으나 키워주신 것은 할머니였다. 어머니는 여름 농사철에는 당신이 나를 안고 낮잠도 한숨 자고 싶었으나 젖만 먹으면 할머니가 바로 데리고 가셔서 서운하기도 했다고 하셨다.

우리 집안은 자손이 귀해서 5대까지 독자로 내려왔고, 장남은 일찍 죽는 내력이 있었다. 할머니는 그것이 많이 신경 쓰인 것 같다. 어느 점쟁이에게 내 사주를 물어보았더니 나도 젊어서 죽을 고비를 맞는다고 해서 특별 관리를 하셨다 한다.

먼저 내 이름을 '박성수'에서 '박성환'으로 바꿨다. 사주팔자를 바꾸기 위해 호적상 내 생년월일을 완전히 다르게 하여 호적에 올렸다. 제적등본에 내 앞에 형이 두 명 있는데 알고 보니 나를 호적상 셋째로 만들기 위해 허위로 두 명이 사망한 것으로 기록하도록 만드셨다고 한다. 할머니가 장손자를 지키기 위해 대단한 집념을 가지고 다각적으로 노력하셨다는 생각이 든다. 그 덕분에 내 나이 칠십에도 건강하게 살아 있는지도 모르겠다.

우리 할머니는 집 안팎에서 호랑이 할머니로 소문이 나 있었다. 밥할 때 쌀과 보리 등 잡곡을 할머니가 덜어주시는 만큼으로 해야 했고, 이웃의 어려운 분들에게 남은 밥을 나누어 주다 들켜서 어머니, 작은어머니 그리고 고모가 꿇어앉아서 할머니께 빌기도 했다.

반면, 나는 어려서부터 할머니 사랑을 독차지했다. 어떤 사람이라도 나를 때리거나 놀렸다가는 할머니 때문에 온 동네가 시끄러웠다. 동생들과도 대우가 하늘과 땅 차이였다. 나는 할머니와 늘 같이 생활하면서 쌀밥과 김과 생선을 같이 먹었다. 할머니가 잔치나 제삿집에 가실 때는 나를 데리고 가거나 음식을 손수건에 싸가지고 와서 몰래 나에게만 주셨다. 어머니도 어려서부터 나를 안아보거나 데리고 자고 싶어도 그러질 못했다. 동생들은 나를 부러워했지만 할머니가 무서워서 감히 불평을 못 했다.

할아버지가 일찍 돌아가신 후 할머니는 4남 2녀를 키우시면서 시골에서는 부자 소리를 들을 정도로 재산도 불렸다. 치마만 둘렀을 뿐이지 남자나 다름없는 기 센 여장부이셨다. 그리고 논이나 밭을 살 때마다 큰아들 명의로 등기하지 않고, 큰아들부터 막내까지 골고루 나누어 소유등기를 해 주셨다. 아버지가 돌아가신 후부터는 나와 내 남동생 앞으로까지 나누어 등기를 해 주셨다. 할머니가 돌아가신 후 자식들이 재산 다툼을 하지 않도록 예방을 하신 것을 보니 참 지혜로운 분이라는 생각을 하게 된다.

할머니는 아들과 딸을 차별하셨다. 또한, 장남과 나머지를 많이 차별하셨다. 그러나 할머니의 카리스마 때문에 아무도 불평을 할 수 없었다. 나는 어려서부터 늘 할머니로부터 가족 중에서 특별대우를 받으며 자랐다.

매년 겨울이면 한약방에 가서 보약을 지어 직접 달여주셨다. 그리고 내가 몸이 허약하다고 여름에는 큰 암소 머리를, 겨울에는 염소 한 마리를 큰 가마솥에 고와서 주셨다. 염소는 봄에 새끼를 사서 직접 몰고 다니며 키워서 겨울이면 잡으셨다. 아무도 못 주게 하고 나 혼자만 먹도록 감시를 했다. 겨울에는 괜찮으나 여름에는 쉽게 상하기 때문에 아침저녁으로 계속 암소머리를 끓이는 바람에 나중에는 뼈까지 흐물흐물해졌다.

동생들은 먹고 싶어서 입맛을 다셨지만 할머니는 허락하지 않았다. 한 마리 전부 다 먹어야 효력이 있다고 믿으셨다. 할머니 외출시 어머니가 동생들에게 나누어 주기도 했는데 나는 반대하질 않았다. 10일 이상을 하루 세끼 같은 곰국을 소금을 타서 먹다 보니까 무지무지 질렸다.

할머니는 내가 서울로 공부하러 가는 것을 매우 못마땅하게 여겼다. 서울이란 곳이 눈 뜨고 코 베어 가는 곳이라 위험하다고 생각한 데다 늘 나를 당신 곁에 두고 싶으셨던 것 같다. "말을 낳으면 제주도로, 사람은 서울로 보내야 한다."라는 가족들 끈질긴 주장에 못 이겨

나의 서울 유학을 허락하셨다. 나를 서울에 보내놓고는 늘 걱정을 하셨고, 방학이 빨리 오길 기다리셨다.

할머니 때문에 방학 때는 항상 시골에 와서 보내야 했다. 한번은 할머니께서 손자가 보고 싶다고 서울에 직접 오셨다. 나는 작은아버지 집에서 학교를 다녔는데 그 당시 작은아버지 내외분이 사이가 좋지 않던 때였다. 할머니가 보시기에 좀 미흡한 면이 있었는지 작은아버지 내외분께 야단을 치시고 나를 데리고 시골로 내려간다고 하셨다. 작은아버지 내외분도 앞으로 더 잘 돌보겠다고 하시고 나도 시골에 안 가겠다고 우겨서 겨우 서울에서 계속 학교에 다닐 수 있었다.

나는 대학 졸업과 동시에 육군보병학교에서 ROTC(학군단) 소위로 임관을 하였다. 임관과 동시에 광주 상무대 보병 병과 교육 과정에 입교했다. 16주 교육을 마치고 나는 특전사로 배치되었다. 훈련과 근무가 힘들어서 모두가 기피하는 부대였다. 특전사는 모자가 검은 베레모였다. 할머니가 "너는 모자가 이상하다."라고 하셔서 걱정하실까 봐 여군부대에 배치를 받았다고 거짓말을 했다.

내가 대학에 들어간 후부터 할머니는 나를 빨리 결혼시켜서 증손자를 보고 싶어 하셨다. 이웃 마을에서 신붓감을 물색해서 선을 한번 보라고 하셨는데, 내가 취직 후에 선을 보겠다고 하여 할머니를 실망시킨 적도 있었다.

1979년 강원도 사명산에서 훈련을 받던 중에 할머니께서 돌아가셨다는 연락을 받았다. 몸살이 나서 주무시던 중에 돌아가셨다고 했다. 내가 바로 서울을 경유해서 시골에 도착했을 때는 할머니 장례를 치른 다음 날이었다. 3일 장을 했고 그날은 비가 많이 와서 상여꾼들이 무척 고생했다고 한다. 산소는 선산에다 만들었고, 할아버지 산소 옆에 나란히 안장되어 있었다.

한집에 살던 12명 식구

나는 하염없이 눈물이 났다. 할머니는 농사일하느라 고생을 많이 하셨고 계절이 바뀔 때마다 몸살을 앓았는데, 그때마다 밤새도록 소리를 내면서 끙끙 앓으셨다. 할머니께서 편찮으시면 아랫마을에 사시는 작은아버지가 우리 집에 와서 할머니와 같이 주무시면서 간호를 했다. 정말 효자이셨다. "멀리 있는 자식, 이웃사촌보다 못하다."라고 할머니는 늘 말씀하셨다. 그것이 우리에게도 산교육이 되었다. 그래서 나를 포함해 할머니 손자 일곱 명은 매년 할머니 제삿날 전후 주말에 할머니 산소를 찾아 잔을 올리고 있다.

할머니의 일곱 명 손주들

(2) 어머니에 대한 추억

어머니는 1935년 경북 청송군 현서면 백자리라는 조그만 파평 윤씨 집성 마을에서 딸 셋 중 맏이로 태어났다. 외할아버지에게는 아들이 없어서 큰집 조카를 양자로 들였다. 외할아버지는 마을에서 한문을 가르치고 농사도 조금 지으면서 가난하게 사셨다. 어머니가 열여섯 살 되던 해, 지인의 중매로 스무 살의 아버지와 결혼을 하셨다.

어머니는 나이도 어리고 아버지가 바로 군에 입대하게 되어, 어머니가 스물한 살 되던 1955년에 나를 낳으셨다. 그래서 나와 어머니는 20살 차이가 나고, 아버지와 나는 24살 차이가 나서 띠동갑이다. 그 후 여동생, 그다음 남동생, 막내 여동생을 낳으셔서 우리 형제는 2남 2녀가 되었다.

할머니가 호랑이 시어머니여서 어머니는 잔소리를 많이 들으셨다. 아버지 형제도 4남 2녀나 되어서 아버지 형제들이 결혼하여 분가하여 나갈 때까지 어머니는 결혼 초기부터 고생을 많이 하셨다. 어머니가 스물여덟 살 되던 해 아버지가 지병으로 돌아가셔서 청상과부로 2남 2녀 자식들 키우느라 온갖 고생을 다 하셨다.

나는 어려서부터 할머니와 놀고, 식사도 할머니 방에서 따로 했다. 할머니 품에 안겨 할머니 젖을 만지면서 잤기 때문에, 어머니와 스킨십을 하거나 특별히 귀여움을 받은 기억이 별로 없다. 어머니가 실수를 하거나 어려운 이웃에게 할머니 몰래 음식을 나누어 주는 것을 보면 나는 이를 할머니에게 일러바치곤 했다. 그러면 할머니 고함소리로 집안에 한바탕 난리가 났다.

외할머니 생신이나 외할아버지 제사 때는 어머니께서 친정에 몹시 가고 싶어 하셨으나 할머니가 잘 허락을 하지 않으셨다. 한번은 나보고 외가댁에 가고 싶다고 할머니를 조르라고 해서, 허락을 받아 같이 외가에 다녀오기도 했다. 외갓집은 15km 이상 떨어져 있었고 '배나무재'와 '꼭두방재'라는 두 개의 고개를 넘어서 가야 했다.

외가 마을은 집성촌으로 모두 파평 윤씨였고 서로 집안 사이였다. 만나는 사람마다 인사를 하라고 했고, 나와 나이가 동갑인데도 아저씨라고 부르라고 해서 기분이 상하기도 했다. 그런데 외할머니는 큰딸이 외손주와 같이 친정에 오자 너무 좋아하셨고, 나를 귀여워하며 마을에 자랑하곤 하셨다. 내 나이 칠십이 되고, 손녀를 두고 보니 당시 외할머니의 마음을 알 것 같다.

어머니는 남존여비와 같은 유교적 풍습을 중시하고 매사 실천하며 사셨다. 아침에 개울에 물 길으러 갈 때, 수십 미터 떨어진 곳에 남자가 보여도 그 앞을 가로지르지 않고 남자들이 지나간 후에 도로를 건넜다. 그리고 아침에 여자가 남의 집에 먼저 들어가면 결례가 된다고 하여 아침에 연장을 빌리거나 빌려준 돈을 받으러 갈 때는 잠자는 나를 깨워서 앞세우고 이웃집에 들어가곤 했다.

방학 때는 시골에 와서 보냈다. 시골 아이들이 서울에 대해 궁금해서 여러 가지를 물었고, 나는 우쭐해서 좀 과장을 보태 설명을 하기도 했다. 방학을 마치고 서울로 갈 때는 어머니께서 한 학기 동안 쓸 돈을 전대에 싸서 팬티 위 허리에 꼭 매어 주셨다.

그때는 교통이 불편해서 시골에서 서울까지 가는데 12시간 정도 걸렸고, 그동안 움직이거나 화장실 갈 때 여간 불편하지 않았다. 어머니는 내가 서울에 잘 도착했다는 편지를 받아야 안도의 한숨을 돌리셨다고 했다.

어머니는 기억력이 아주 좋았다. 일가친척이나 이웃의 생일, 제삿날, 그리고 전화번호를 수십 개씩 기억했고, 한번 들은 이야기도 특별히 기록을 해두지 않아도 좀처럼 잊어버리지 않았다.

어머니는 노래를 정말 못하셨다. 약간의 음치 정도가 아니고 퍼펙트한 음치셨다. 올라가야 할 음에서 내려갔고, 내려가야 할 음에서 올라갔다. 우리 형제들이 노래에 관한 한 본인을 닮지 않아서 다행이라는 말을 수없이 하셨다. 그래도 동네 아주머니들과 관광여행 가시면 막춤을 같이 추며 열심히 어울리셨다.

아버지 병간호하느라 고생을 많이 하셨으나 아버지가 일찍 돌아가신 후 한동안 마음의 갈피를 잡지 못하고 방황하셨다. 전에는 가끔 사찰에 들려서 불공을 드리셨으나, 할머니 권유로 몇 년간 면 소재지에 있는 교회에 다니셨다. 마음을 추스르려고 집에서도 가끔 찬송가를 부르셨는데, 그때마다 나는 "예수 사랑하려고 예배당에 갔더니, 눈 감으라 해놓고 내 신 훔쳐 가더라."라고 하면서 어머니 약을 올리곤 했다.

내가 군 복무를 하고 있던 1979년 할머니가 갑자기 돌아가셨다. 성경에 나오는 나오미를 섬긴 룻처럼 남편을 먼저 보내고 시어머니를 극진히 모셔서 어머니는 동네 사람들 추천으로 영일 군수로부터 효부상을 받으셨다.

내가 대학을 졸업하자 남동생이 포항공고를 졸업하고 경북대에 입학했다. 어머니와 여동생 둘은 농사를 지어 계속해서 남동생 뒷바라지를 해야 했다. 집에 남자가 없다 보니 어머니와 여동생들은 지게도 지고 남자들이 할 힘든 일도 했다. 그러다 보니 어머니는 몸에 무리가 갔고 신경통이 생겨서 진통제를 드시기 시작했다. 나이가 더 드시고 진통제를 오래 복용하다 보니 약효가 떨어져 약 종류도 늘어나고 진통 강도도 더 세졌다. 또한, 그 부작용으로 얼굴이 붓고 소화도 잘 안되며 숨도 차는 증세가 생겼다.

내가 공무원 시험에 합격했을 때 어머니는 너무 기뻐하셨고 동네 사람들을 모아 조촐한 잔치도 베풀었다. 여행이나 외부 모임에 가시면 동네 사람들로부터 "아들 교육 잘 시켰다."라는 말을 듣고 늘 행복해하셨다. 1995년 어머니 회갑 때는 우리 형제들이 일가친척과 동네 어른들을 시골집으로 초청하여 조촐한 잔치를 마련했다. 어머니 직계 비속만 열여덟 명이나 되었고 모두 자기 일들을 착실히 하고 있었고 어머니는 이제 아무 걱정이 없다고 말씀하시곤 했다.

어머니 환갑 잔치에 모인 식구들

어머니 나이가 칠십에 가까워지자 몸이 자주 편찮으셨다. 몸이 편찮으시면 포항에 사는 여동생 집으로 가서 여동생과 같이 병원도 가고 치료도 받았다. 진료가 끝나면 여동생이 시골까지 모셔다드렸다. 포항에 사는 여동생과 매제가 어머니께는 너무 잘 해주어서 정말 고마웠고, 어머니 시골 친구들도 여동생 내외의 칭찬을 많이 했다.

2004년 가을 나는 대구에 살고 있었다. 어느 날 포항 여동생으로부터 연락이 왔다. 어머니가 황달기가 있어 포항병원에 왔는데 의사 선생님이 큰 병원에 가보라고 하신다는 것이었다. 나는 가슴이 철렁했다. 어머니를 영남대 병원에 입원을 시킨 뒤 세부적인 검진을 받았다. 의사가 담도암인데 전이가 심해서 수술은 불가능하고 집 가까운 병원에 모시고 가서 맛있는 것이나 많이 해드리는 것이 좋겠다고 말했다.

그래서 우리 집 근처에 있는 경산의 경상병원에 어머니를 입원시키고 통증이 심할 때는 마약성 진통제로 통증을 억제하는 방법밖에는 특별한 치료법이 없었다. 먹고 싶은 것은 없는지 물어서 사다 드리곤 했다. 하루는 송기떡을 먹고 싶다고 하셔서 아내가 청도 용암온천 앞까지 가서 사다 드리기도 했다.

병원의 추천을 받아 전문 간병인을 두었는데 독실한 기독교인으로 권사님이었다. 권사님은 아침저녁으로 기도해 주시고 물수건으로 목욕도 시켜주셨다. 늘 곁에 계시며 말동무와 심부름 그리고 성경 말씀도 전해주셨다. 우리 형제들도 하루씩 번갈아 가면서 간호를 했고, 나와 아내는 수시로 병실에 들렀다.

병은 더 악화되었고 진통제도 강해지고 투여 횟수도 늘어났다. 하루는 시골집에 가고 싶다고 하셔서 시골에 모시고 갔다. 문제는 화장실과 밀착 간호를 하는 것이었다. 마을 사람들의 추천을 받아 혼자 사시는 아주머니께 간병을 부탁하고, 실내에서 사용할 수 있는 변기도 구입했다.

우리 형제들은 매일 번갈아 가며 시골에 들렀다. 어머니는 컨디션이 좋을 때는 마을회관에도 가시고 마을 친구들도 집에 놀러 오곤 했다. 그러나 2개월 정도 지나자 체력이 떨어지고 정신력도 약해지셨다. 어머니가 병원으로 다시 갔으면 좋겠다고 하여 119를 불러 다시 경산에 있는 경상병원으로 옮겼다. 처음엔 여러 사람이 같이 있는 6인실에 있다가 2인실로 다시 1인실로 옮겼다.

임종을 어느 정도 느끼신 어머니는 시골에 가서 손수 만들어 상자 속에 넣어 둔 삼베 수의를 가져오라 해서 직접 입어보시기도 했다. 어머니 통장에 일천만 원의 돈이 저축되어 있었는데, 모두 찾아오라고 하셔서 갖다 드렸더니 우리 형제들에게 똑같이 나누어 주셨다. 그리고 2006년 1월 편안한 모습으로 세상을 떠나셨다.

내가 경북도청 문화체육관광국장으로 근무했고, 남동생도 포스코에 중견간부로 근무하고 있어서 조문객들이 정말 많았다. 절하느라 무릎이 벗겨지기도 했다. 장지는 미리 보아두었고 깊은 산 능선에 모셔둔 아버지 유해도 추슬러서 어머니와 함께 모시기로 하고 남동생과 논의하여 두 가지를 동시에 진행했다.

장례식 날은 날씨도 추웠고 눈도 많이 내렸다. 장례방식은 어머니 희망에 따라 기독교식으로 진행했다. 어머니는 우리 부부의 전도로 교회를 열심히 다니고 계셨다. 관은 큰사위가 준비했고, 모든 장례절차와 방법은 우리 형제가 결정해서 진행했다. 시골엔 눈이 많이 와서 영구차가 들어갈 수가 없어 포항시청에서 중장비를 동원해서 길을 터 주었고 묘지 조성도 포클레인 힘을 빌렸다.

우리 시골집 앞에서 관을 내려서 상여를 다시 꾸렸다. 거기서부터 장지까지는 100여m 정도 되었는데 내 친구들과 동생 친구들이 상여꾼이 되어 주었다. 아버지 유해도 내가 중간에서 받아안고 가서 어머니와 나란히 모셨다. 돌아가신 후에라도 두 분이 함께 계셨으면 좋겠다고 생각해서다. 그리고 묘지도 어머니가 평소에 농사를 지으시던 밭에다 만들었다. 동네에서는 처음으로 기독교식으로 장례를 치러서 동네 사람들이 신기해하기도 했다. 어쨌거나 어머니가 원하시는 장소에, 원하시는 매장 방법으로 아버지와 같이 모셔드렸다.

(3) 아버지에 대한 추억

나는 지금 늙은 고아다. 아버지는 내가 여덟 살 때 돌아가셨고, 어머니는 내가 쉰한 살이 되던 해 일흔한 살의 나이로 돌아가셨다. 두 분은 한국전쟁이 발발했던 1950년에 결혼하셨는데 그때 아버지는 스무 살, 어머니는 열여섯 살이었다. 결혼하고 얼마 안 되어 아버지는 군에 입대했고 어머니는 호랑이 시어머니, 시동생, 시누이와 더불어 시골에서 농사를 지으며 지내셨다. 아버지는 전쟁이 끝난 후에도 한동안 군 생활을 하셨고 1960년 상사로 제대했다.

나는 1955년 어머니가 스물한 살, 아버지가 스물다섯 살 때 우리 집안의 종손으로 태어났다. 아버지가 군 생활 중 휴가를 나오셔서 나를 만드신 것 같다. 그 후에도 휴가를 이용, 동생 셋을 더 만드셔서 우리 형제는 2남 2녀다.

아버지 군 생활 모습

아버지는 제대 후 군에서 얻은 병으로 2년 정도 투병 생활을 하다가 서른두 살의 나이로 돌아가셨다. 어머니는 스물여덟 살, 나는 여덟 살 때였다. 아버지를 살리기 위해 굿도 많이 했고, 서울대 병원에 가서 치료를 받았으나 헛수고였다.

아버지가 돌아가신 후 3년 동안 유교 풍습에 따라 아랫방에 높은 제상을 설치하고 영정을 그 위에 두고 아침, 점심, 저녁 식사를 올려 드렸다. 돌아가신 것이 믿기지 않기도 하고, 영혼이 와서 드신다고도 생각했다.

나는 아버지에 대한 기억이 많지 않다. 아버지가 군 생활을 오래 하셔서 같이 살지 않았을 뿐 아니라 제대 후에도 병 치료를 위해 서울에 오래 계셨기 때문이다. 주변 사람들한테서 들었는데 아버지는 노래를 잘했다고 한다. 군에 계실 때도 부대를 순회하면서 노래를 하셨고, 마을에서도 가수로 소문이 자자했다고 한다. 아버지에 관해 몇 가지 기억나는 것도 영화처럼 살아 움직이는 것이 아닌 빛바랜 흑백사진 몇 장면 정도이다.

1961년 5·16 군사혁명 후 제2공화국이 무너지고 박정희 장군이 정권을 잡았을 때 '혁명공약'이라는 것을 선포하고 국민에게 암송토록 강요한 적이 있었다. 내가 그것을 잘 외워서 할머니와 아버지는 동네 사람들 앞에서 암송을 하도록 시키시곤 했다.

아버지는 서울에서도 병 치료가 불가능해서 1962년 11월 말경 집으로 모시고 오는 도중 마을 입구에서 돌아가셨다. 그날 밤늦게 아버지 시신이 집에 도착하자 할머니는 나를 깨워 아버지의 눈을 쓰다듬어 감기우고, 물에 불린 쌀 세 숟가락을 아버지 입에 넣으라고 시키셨다. 나는 그렇게 했다. 그게 내가 본 아버지의 마지막 모습이다.

제 2장

초등학교 시절

시골 초등학교 시절의 추억

내가 5학년까지 다녔던 고향의 죽북국민학교는 우리 마을에서 6km 정도 떨어졌고, 그 중간에는 산이 하나 있었다. 그 산은 매우 가팔라서 지그재그로 길이 나 있었는데, 그 산을 돌아가면 길이 너무 멀어서 우리는 그 산을 넘어서 학교에 다녔다.

나는 만 6세가 되던 1961년에 입학을 했다. 같은 학년 아이들 대부분은 나보다 한두 살 많았고, 누나와 동생이 같은 학년으로 입학한 경우도 있었다. 1~6학년 모두 두 반씩, 전체 학생이 600명 정도 되었다. 우리 학년이 숫자가 가장 많아서 한 반이 60명 정도였다. 나는 베이비붐 1세대로서 1955년 태어났으며, 50호 정도의 우리 마을에만 동갑내기가 14명이나 되었다.

그때는 책가방이 없어서 모두 보자기에 책과 도시락을 둘둘 말아 핀침을 꽂아 고정한 후, 대각선으로 어깨에 메고 다녔다. 참고서가 없어서 책보자기는 그리 크지 않았고, 도시락은 흔들려서 자동적으로 비빔밥이 되곤 했다. 신발은 대부분 폐타이어를 재생해 만든 검정 고무신을, 옷은 질긴 나일론 옷을 많이 입었는데, 더러는 흰 무명옷과 삼베옷을 입고 다니는 아이들도 있었다.

여름에는 좁은 교실에서 공부하기가 답답해서 가끔 학교 옆 공원의 나무 그늘에 앉아서 공부하기도 했다. 겨울에는 장작으로 난방을 했다. 그래서 학교 갈 때 장작을 몇 개씩 가지고 가야 했다. 장작 가져오는 것을 잊어버린 아이들은 점심시간에 산에 올라가서 마른 나무를 주워 왔다.

추억의 압권은 그 난로 위에 데워서 먹는 도시락이다. 쌀이 귀해서 보리밥과 조밥을 싸 온 아이들이 많았는데, 여자아이들은 잡곡밥이 창피하다며 도시락을 뚜껑으로 가리고 먹곤 했었다. 반찬은 더덕, 무, 콩잎, 깻잎 등을 절이거나 삭힌 것이 대부분이었다.

1~2학년 때는 책상이 없는 마룻바닥에서 수업했다. 학생 수가 급격히 늘어나서 책상이 미처 조달되지 못했기 때문이었다. 마룻바닥은 양초를 칠하고 걸레로 문질러서 반질반질했고, 우리는 그 위에 엎드려서 글씨를 썼다.

수업 시간의 시작과 끝은 소사 아저씨가 교무실 앞에 걸려 있는 종을 쳐서 알렸다. 시작은 '땡땡' '땡땡' 두 번씩을, 끝은 '땡땡땡' '땡땡땡' 세 번씩을 반복해서 쳤다. 그때 소사 아저씨가 얼마나 부지런했는지 종을 늦게 치거나 빼먹는 경우는 없었다. 재미있게 노는데 시작종이 들릴 때는 소사 아저씨가 그렇게 야속하게 느껴질 수가 없었다.

같은 반 아이들이 나보다 한두 살 많았는데도, 나는 초등학교 1학년 때부터 공부를 잘하는 편이었다. 공부는 나이순이 아니었던가 보다. 반장도 몇 차례 했는데, 그때는 서로 반장을 안 맡으려고 해서 공부 잘하는 아이를 선생님이 지명해서 시켰다. 달리기를 잘해서 운동회 때는 우리 반(2반) 대표로 나갔고, 그때마다 상으로 공책을 받곤 했다. 나는 산수와 체육을 좋아했고, 미술을 가장 싫어했다. 그림을 잘 그리는 친구들이 너무 부러웠고, 나중에 어른이 되면 그림 잘 그리는 아가씨에게 장가가야겠다는 생각도 했다.

그때는 여학생보다 남학생의 수가 조금 더 많았다. 남아 선호의 영향도 있었지만 여자아이들은 초등학교조차도 안 보내는 가정도 있었기 때문이다. 나는 여학생들에게 인기가 좀 있는 편이었다. 공부도 비교적 잘했고 반장을 맡았을 뿐 아니라, 운동화도 신고 옷도 잘 입고 다녔기 때문인 것으로 생각된다. 나도 마음으로 좋아하는 여학생이 두 사람이 있었다.

이제는 70대에 접어든 초등학교 친구들

그때는 먹을 것이 귀한 데다 한창 크는 시기여서 뭐든지 먹으면 꿀

맛이었다. 산 너머 이웃 마을 밭에서 대추, 자두 심지어는 무를 몰래 훔쳐 먹은 일이 있었다. 그다음 날 학교에 가는데, 밭 주인이 길목을 지키고 있다가 우리 책보자기를 모두 빼앗아서 그날은 책보자기 없이 학교에 갔고, 수업 시간에 친구들에게 빌린 다른 책을 펴놓고 수업을 받았다. 소풍 가서 술을 먹고 취해서 선생님께 야단맞기도 하고, 여자 아이들에게 심술궂은 장난을 치기도 했다. 아이들은 예나 지금이나 버릇이 없고 어른들 보기에는 걱정의 대상이었나 보다.

어느 겨울날 학교에 혼자 남아 청소를 하다 그만 늦어버렸다. 집에 오려면 큰 고개를 하나 넘어야 하는데, 산기슭에 도착하자 벌써 날이 어두워지기 시작했다. 산에 오르기 시작하자 주변의 나무들이 흔들렸고 내 눈에는 흔들리는 나무가 귀신처럼 보였다. 머리끝이 쭈뼛쭈뼛 섰고, 심장이 쿵덕거렸다. 『전설의 고향』에 나오는 공포 분위기여서 귀신에 쫓기듯 허겁지겁 산 정상에 올랐다. 그러고는 두 주먹을 불끈 쥐고 내리막길을 달리기 시작했다.

이때 내 발에 차여 내 뒤로 굴러오는 돌 소리가 산짐승들이 따라오는 발소리처럼 들렸다. 산을 다 내려와 신작로에 도착하자 마을의 불빛이 희미하게 보였다. 그때야 '살았구나!' 하고 안도의 한숨을 쉬었다. 정신을 차려보니 겨울인데도 얼마나 무서웠던지 내의가 흠뻑 젖어있었다. 동네 어귀에 이르니 할머니와 식구들이 내가 학교에서 안 온 것을 확인하고는 초롱불을 들고 내려오고 있었다.

날이 따뜻할 때는 산길을 걸어서 학교 가기가 너무 싫었다. 그래서 산 중턱에서 화투를 치고 놀다가 점심을 까먹고 집으로 돌아오기도 했다. 그것을 '중간치기'라고 했고, 그때는 전화도 없었고 가정방문도 어려워서 선생님들께 쉽게 들통나지 않았다. 부모님들은 경험이 있어서 알기는 했으나 별로 개의치 않았다. 아이들은 그렇게 크는 것이라고 여기신 듯하다.

친구들과 놀기

그때는 피임방법도 잘 몰랐고 산아제한도 시행되기 전이어서, 집집마다 어린아이들이 많았다. 아랫마을이 20호 정도 되었는데, 남녀 친구 10여 명 정도가 눈만 뜨면 같이 몰려다니며 놀았다. 그중에서 몇몇은 나와 집도 가까웠고 마음이 잘 맞아서 바늘과 실처럼 어울려 다녔다.

봄부터 가을까지는 산과 들을 쏘다니며 먹을거리를 찾아 먹었다. 어름, 머루, 다래, 송기, 찔레, 보리수 등을 따서 먹었고 칡, 도라지, 더덕, 잔대, 주치 등은 뿌리를 뽑아 껍질을 벗겨 날것으로 먹곤 했다. 그중 다래와 어름은 좀 덜 익었더라도 씨만 까맣게 되어 있으면 일단 따와서 왕겨에 묻어놓으면 물렁물렁 익었다.

겨울이면 올무나 사이나(독극물)를 이용해서 야생 꿩이나 토끼를 많이 잡았다. 올무는 주로 토끼들이 다니는 길목에 설치했는데, 주변에 있는 나무를 베어 길을 만들어서 토끼들을 유인했다. 사이나는 주로 꿩을 잡는 데 사용했다. 콩이나 칠레 열매에 구멍을 뚫어 그 안에 약을 넣고 약이 보이지 않도록 약 넣은 부분이 땅으로 향하도록 놓아 두었다. 약을 먹은 꿩은 멀리 날아가지 못해 그 주변 몇 미터 내에서 죽어, 쉽게 찾을 수 있었다. 어떤 때는 암수 두 마리가 같이 죽은 경우도 있었다. 약을 먹고 죽은 꿩은 뱃속에서 모이주머니부터 제거했고, 양을 늘리기 위해 주로 쌀을 넣고 죽을 쑤어서 먹었다.

마을에는 덫이나 약물을 이용해서 유난히도 야생동물을 잘 잡는 사람들이 있었다. 그것도 유전인지 부모들이 잘 잡으면 그 자식들도 잘 잡았다. 그런데 잘 못 잡는 사람들이 만들어낸 말인지 모르지만, 야생동물을 많이 잡는 집안은 장애인이 태어나거나 집안에 불운이 찾아온다는 얘기도 있었다. 그 말을 믿은 남동생이 막내 여동생이 자기 말을 잘 안 듣는다고 "내가 토끼를 많이 잡아서 너 병신 만들어 버린다."라고 협박을 하기도 했다.

학교에서 놀 때 남자아이들은 공차기를 많이 했고, 여자아이들은 고무줄놀이를 많이 했다. 축구공이 귀해서 정구공만한 고무공으로 축구를 했다. 점심시간에는 몇 팀이 동시에 시합을 했기 때문에 서로 부딪히기도 하고 땅을 차는 바람에 여러 차례 발톱이 빠지기도 했다. 시합을 마치고 우물가로 달려가서 두레박에 입을 대고 마신 물맛은 그야말로 꿀맛이었다.

1년 중 가장 큰 명절은 역시 설인 것 같다. 설날 아침에 일어나면 빗자루로 마당부터 쓴 뒤 할머니께 세배를 했다. 할머니는 문을 열고 음식상을 앞에 두고 방안에 앉으시고, 우리는 마당에서 멍석 위에 돗자리를 깔고 차례로 큰절을 했다. 세뱃돈은 없었고 음식을 나누어 주었다. 설전에 설맞이 옷이나 신발, 양발 등을 사서 그날 아침에 입고 신었다.

일가친척들이 같은 마을에 살고 있어서 종갓집부터 제사를 지내고 차례로 내려가며 몇 집을 다니며 지냈다. 첫째, 둘째 그리고 중간에는 제사 후 음복을 하고, 마지막 집에서 아침을 먹었다. 우리 시골에서는 아침에 떡국을 안 먹고 밥을 먹었다.

제사를 다 마치고 나면 거의 점심때가 되었다. 제사를 마치면 친구들끼리 모여 집집마다 다니며 어른들께 세배를 했다. 세뱃돈은 없었고, 음식을 차려주었다. 대표적인 음식은 쌀과 잡곡을 뻥튀기해서 엿을 발라 만든 박산과 떡, 그리고 과일 등이었다. 어른들은 집에서 담근 막걸리와 청주 등을 곁들여 마셨고, 저녁때가 되면 취한 상태가 되었다.

그 후 언제부턴가 마을회관에서 합동 세배를 했다. 마을 부녀회에서 음식을 준비하고 방송을 하면 모두 모여서 어른들께 먼저 세배를 하고 젊은이들도 서로 세배를 했다. 세배를 하러 오는 사람들이 맥주 등 어른들이 두고 드실 수 있는 선물을 사 오거나, 조금씩 현금을 기부했다. 그때는 춥고 TV가 없어서 가족들끼리 집에서 윷놀이를 하거나 화투를 쳤다.

설 다음으로 찾아오는 명절이 음력 1월 15일 정월 대보름이다. 그날 아침에 부럼을 먹고 귀밝이술도 마시고, 식사는 잡곡과 밤, 곶감 등을 넣은 찰밥으로 먹었다. 그리고 그 찰밥에 콩가루를 묻혀서 먹기도 했는데, 즉석 찰떡이 되었다. 정월 대보름날 아침에는 어린아이들에게도 술맛을 조금씩 보게 했고, "내 더위 사가라"라고 하면서 더위를 팔기도 했다. 친구들끼리 찰밥을 모아 두었다가 저녁에 놀다 배가 고프면 동치미를 곁들여 허겁지겁 맛있게 먹었다. 우리는 보름달에 소원을 빌기 위해 동녘 가장 높은 산꼭대기까지 올라가서 보름달을 기다렸고, 달이 뜨면 함성을 지르고 자기 소원을 빌었다. 그리고 내려와서는 달집도 태우고, 깡통에 불을 넣고 돌리는 쥐불놀이도 했다.

우리 마을에선 음력 2월 1일을 '이월'이라 불렀으며, 그날은 마을 사람들이 함께 모여 놀았다. 농사일이 시작되기 전 풍년을 기원하는 소지(창호지에 소원을 적은 후 불을 붙인 후 하늘로 올려보내는 의식)를 태웠고, 그러면 영둥할매가 바람을 타고 내려와서 그 소원을 들어준다고 믿었다. 그리고 이월에는 연을 만들어 날리는 풍습이 있었다. 주로 가오리연과 방패연을 만들어서 빈 논이나 밭을 뛰어다니며 날렸다. 연은 뒷산에서 대나무를 베어 뼈대를 만든 후 그 위에 창호지나 신문지를 붙여서 완성했다. 연을 잘못 만들면 좌우 균형이 잡히지 않아서 제대로 날지도 못하고 땅바닥으로 곤두박질치기도 했다.

추석에는 풍년 농사에 대한 감사의 의미로 햇곡식으로 음식을 만들고, 햇과일을 곁들어 조상들께 당일 아침 제사를 올렸다. 그리고 오후에는 가족들이 함께 산소에 성묘하러 갔다. 다음날은 마을 사람들과 귀향한 사람들이 함께 어울려 사물놀이를 했다. 집집마다 돌아가며 풍물을 울리면 집주인은 음식을 내오거나 현금을 조금씩 기부했다. 음식은 그 자리에서 나누어 먹었고, 돈은 모아 두었다가 마을 기금으로 사용하였다. 저녁에는 가족들이 윷놀이를 하거나 화투놀이를 했는데, 그때까지 시골에는 고스톱이 보급되지 않아 민화투나 육백을 쳤다.

어렸을 적 나의 영웅

내가 어렸을 때는 6·25전쟁이 끝난 직후라 마을이나 학교에 고전이나 위인전 등이 비치된 문고나 도서관 같은 시설이 없었고, 주변에서 그런 책들을 접할 기회도 별로 없었다. 할머니나 어머니로부터 구전되어 오는 옛이야기를 듣는 것이 고작이었다. 그리고 할머니와 어머니도 가방끈이 짧아서 옛날 얘기해달라고 하면 호랑이와 곶감 얘기, 호랑이와 떡장수 얘기만을 반복하셨다. 새로운 정보는 학교 선생님 말씀, 라디오 방송과 학교 교과서를 통해서만 얻을 수 있는 정도였다. 그래서 내가 어렸을 때는 내가 장차 닮고 싶은 어떤 훌륭한 역사적 인물을 책이나 이야기를 통하여 접할 기회가 거의 없었다.

사람은 환경의 지배를 받는가 보다. 내가 어렸을 때는 비료, 제초제 그리고 농기계가 없어서 소와 인력으로 농사를 지었다. 뼈 빠지게 일을 해도 농업 생산성은 형편없이 낮아서 농민들이 가난에서 벗어날 수 있는 희망은 보이지 않았다. 나도 시골에서 자라면서 힘든 여러 가지 농사일을 체험했다. 몇 가지 예로, 벼농사와 관련해서는 모내기, 세 차례의 김매기, 벼 베기와 탈곡 등을 했고, 보리농사와 관련해서는 파종, 보리밟기. 김매기, 깜부기 뽑기, 그리고 탈곡 등을 했다. 겨울에는 낮에는 땔나무 하기, 닥나무 껍질 벗기기, 밤에는 새끼 꼬기와 가마니 짜기 등을 했으며, 여름에는 꼴과 풀베기, 소먹이기, 고추와 조 및 담배밭 김매기 등을 했다.

그래서 내가 어릴 때 시골에서 자라면서 생각한 것은 '어떻게 하면 우리 농민들을 이렇게 고되고 지옥 같은 생활에서 벗어나게 할 수 있을까?' 하는 것이었다. 그러던 중 우연히 우장춘 박사에 관한 얘기를 듣고 감동받아, 나도 장차 농촌 발전을 위해 무엇인가 역할을 하는 사람이 되어야겠다고 결심을 했고, 그 결심이 이후 내 인생에 크게 영향을 미쳤다.

우장춘 박사는 1898년 한국인 아버지 우범선과 일본인 어머니 사카이 나카 사이에서 일본 도쿄에서 태어났다. 극심한 빈곤과 주위의 학대 속에서 초등학교와 중학교를 마치고, 도쿄 제대 농학부를 졸업함과 동시에 일본 농림성 농업시험장에 취직하여, 1937년 퇴직할 때까지 18년간 육종 연구에 종사했다. 1936년 동경제대에서 농학박사 학위를 받았으나, 한국인이라는 것과 정규대학을 나오지 않았다는 이유로 승진하지 못하다가, 퇴임 직전에 기사로 승진하면서 퇴임하였다.

그는 1950년 우리 정부의 초청으로 귀국하여 사망한 1959년까지 10년간 한국농업과학연구소장, 중앙원예기술원장, 원예시험장장 등을 역임했다. 그의 국내 업적으로 큰 것을 들면, 채소 종자를 국내에서 완전히 자급할 수 있도록 하였으며, 우리나라 육종 학도와 종묘 기술자를 양성하는 데 전력을 기울였다는 사실이다. 그 외에도 씨감자의 무균 종자를 생산하여 6·25전쟁 후 식량난을 해결하는 데 크게 이바지하였으며, 사망 전에는 『수도이기작에 관한 연구』를 통하여 세상의 이목을 끌기도 했다. 그가 1959년 8월 11일 사망하자 정부는 문화포장을 수여하였고, 전 국민의 애도 속에 장례는 사회장으로 치러졌다. 유해는 농촌진흥청 구내의 여기산에 안장되었다.

첫 서울 생활

초등학교 5학년을 마치고 설 명절이 되었다. 서울 사시던 작은아버지도 오셔서 자연스럽게 가족회의가 열렸다. 시골에 사시던 작은아버지가 나를 서울로 보내 공부를 시키는 것이 좋겠다고 눈물로 제안을 하셨다. 할머니의 강력한 반대에도 불구하고 나를 서울로 전학시키기로 결정되었고 바로 전학 절차를 밟았다.

시골에서 대구로 나와 서울까지 가는 데 하루가 걸렸다. 그때 처음으로 대구에서 전깃불과 기차를 구경했다. 정말 신기했고 눈이 번쩍 띄었다. 서울에는 작은아버지가 프레스로 식기를 만드는 조그마한 공장을 노량진에서 운영하고 계셨다.

그때는 작은아버지도 서울에 간 지 얼마 되지 않아 주민등록도 옮기지 않은 채 혼자 생활하고 계셨다. 그래서 신도림동에 사는 작은아버지 친구 집으로 내 주민등록을 옮겼고, 나는 그 근처에 있는 우신초등학교로 전학을 했다. 지금으로 보면 위장전입을 했던 셈이다. 나는 노량진에서 전차를 타고 신길동에서 내려 대신시장 옆길을 걸어 학교로 갔다. 그때 전차표 한 장에 2.5원, 5원이면 왕복할 수 있었다. 아이스께끼나 과자가 먹고 싶을 땐 학교에서 집까지 걸어오기도 했다.

나는 시골 초등학교에서는 공부를 꽤 잘하는 편에 속했는데 서울에 와서 첫 시험을 보니, 하위그룹에 속했다. 시골에서는 학교에 다녀오면 부모님들 일손을 도왔으나, 서울 아이들은 방과 후에도 학원을 다니며 공부를 하다 보니 차이가 날 수밖에 없었다. 나는 실망을 하기보다는 빨리 따라잡아야겠다고 다짐했다. 그래서 먼저 학교 분위기도 익히고, 같은 반 아이들과 빨리 사귀려고 노력했다.

내가 경상도 사투리를 심하게 쓰자, 우리 반 아이들이 흉내도 내고 놀리기도 했다. 가장 대표적인 발음이 '쌀'이었다. 나는 아무리 노력해도 항상 '살'로 발음되었다. 그리고 선생님이 출석을 부를 때, 서울 아이들은 '네'라고 대답하는데 나는 '예'라고 대답하자 아이들이 한바탕 웃곤 했다. 그러나 속으로는 '예'가 표준말이야 하고 태연하려고 노력했다.

작은아버지는 바쁘셔서 나를 챙겨줄 시간이 별로 없었다. 그래서 필통을 안 가지고 학교에 간 적도 있었다. 그때도 같은 반 친구들이 친절하게 연필이나 색종이 등을 빌려주었다. 나를 심하게 놀리지는 않았고, 오히려 시골 얘기를 듣기 위해 나에게 몰려들기도 했다.

내가 서울에 간 지 오래되지 않아 작은어머니도 서울에 오셔서 같이 생활하게 되었다. 어느 날 작은어머니가 이웃집에 놀러 간 후 손님이 찾아오셨다. 어느 집으로 갔는지 몰라서 골목에서 "아지매" "아지매"하고 큰 소리로 부르고 다녔다. 많은 동네 사람들이 문을 열고 내다보았고, 그때부터 나는 그 동네에서 시골 촌놈으로 낙인이 찍혔다.

그 후 동네 사람들이 나를 보면 "아지매" "아지매" 하고 놀리기도 했다. 그러나 크게 창피하지는 않았다.

차츰 나는 서울 생활에 적응을 했고 학교 성적도 쑥쑥 올라갔다. 비교적 적응도 잘하고 성적도 오르자 선생님도 칭찬을 많이 해주셨고, 나도 더 잘할 수 있다는 자신감이 생겼다. 6학년 말이 되어 중학교 진학을 할 즈음에는 성적이 상위그룹에 속하게 되었다.

방학 때는 할머니가 계시는 시골에 내려왔다. 시골에 내려오면 시골 친구들이 서울말을 해보라고 얘기를 했으나, 어머니가 서울말을 쓰지 말고 시골말을 쓰라고 하셨다. 시골 사람들이 서울말을 쓰면 욕을 한다는 것이 그 이유였다. 며칠간 서울에 다녀와서 서울말을 쓰면서 폼을 잡던 마을 사람이 한 사람이 있어서 마을 사람들의 입방아에 오른 적도 있던 터였다. 그렇게 한 달을 시골에서 사투리를 쓰다 방학을 마치고 서울에 오면, 다시 서울말에 적응하느라 애를 먹었다.

전반적으로 서울에서 나는 작은아버지 내외분의 보호 아래 잘 적응을 했다. 그런데 작은집에는 한 가지 걱정거리가 있었다. 두 분이 결혼한 지 십여 년이 지났는데 아이가 생기지 않는 것이었다. 두 분의 말다툼도 잦아지고 할머니는 새사람을 얻어야 한다고 하면서 불난 집에 부채질을 하셨다. 두 분이 같이 병원에도 다녀오셨는데 별 이상이 발견되지 않아 상대방 탓만 하셨다. 마침내 두 분은 이혼을 하셨고, 얼마 지나지 않아서 각각 다른 사람과 재혼을 했다. 그 후 작은아버지는 재혼 한 분과의 사이에 아들 셋을 낳았고, 전 작은어머니는 재혼한 분과의 사이에 딸 셋을 두었다. 처음부터 두 분은 '궁합'이 맞지 않았던 것일까?

그때부터 서울에서 학교를 모두 마치고 직장을 따라 대구로 올 때까지 약 20년간을 서울에서 생활했다.

제 3장

중·고등학교 시절

중학교 시절

서울에서는 우리 학년이 마지막으로 중학교를 입학시험을 보고 들어갔다. 우리 다음부터는 제도가 바뀌어 추첨(소위 뺑뺑이)을 통하여 중학교에 입학했다. 그때는 서울이라도 교통이 원활하지 못해서 대부분 집 가까이에 있는 중학교에 다니기 마련이었다. 내가 살던 영등포 지역에는 소위 일류 중학교는 없었고, 성남중학교와 강남중학교가 좀 나은 편이었다. 성남중학교는 성남고등학교와 같이 있었는데 성남고등학교는 인문계 학교였다. 그래서 대학에 진학하려고 하는 아이들은 성남중학교를 주로 선택했다. 강남중학교는 서울공업고등학교와 담이 붙어 있었다. 입학에 특혜가 주어지는 것은 아니었지만, 그 학교에선 유독 서울공고에 입학을 많이 했다. 나는 가정 형편상 대학 진학이 어려워서 강남중학교를 택했다. 다른 것은 괜찮았으나, 성남고등학교는 야구를 잘해서 그 학교 아이들이 응원하러 가는 모습이 무척 부러웠다.

중학교 입학을 하고 친구들을 많이 사귀었는데 어떤 아이들은 1·2·3학년, 3년 동안 같은 반이 되는 친구들도 있었다. 나는 그중에서 충남 공주가 고향이고 말이 느린 광순이란 친구와 상도동에서 같이 학교에 다니던 자현, 그리고 성태와 특별히 친했다.

내가 중학교에 입학한 후 작은집도 상도동으로 이사를 했다. 집이 가까워 우리는 주말이면 동네 근처 학교에서 같이 축구도 하고, 나는 혼자 집에 있는 경우가 많아서 우리 집에 와서 같이 놀기도 했다.

자현이는 아버지가 신문사 중역으로 계셨고, 집도 한옥이고 정원도 넓었다. 그 친구가 부모님들께 내가 반에서 공부를 잘하는 것으로 소개해서 그 친구 부모님은 친절하게 대해 주셨고, 자주 놀러 오라고 하셨다. 그러나 생활 수준이 달라서 그런지 나는 마음이 위축되고, 행동이 불편했다.

반면, 성태네 집은 무척 가난했다. 아버지가 이북에서 월남해서 남한에서 재혼을 하셨다. 그래서 성태 아버지는 어머니와 나이 차도 크고 생활력이 강하시고 검소하셨다. 성태 부모님은 가정용 연탄을 배달하는 일을 하셨다. 공장에서 차로 연탄을 싣고 오면 가게에 쌓아두고 신청이 들어오면 평지인 집은 손수레로, 언덕 짊은 지게로 날랐다. 나도 시간이 나면 성태 부모님을 도와드리곤 했다. 시골에서 지게도 지고, 손수레도 끌던 경험이 있어서 서툴지 않게 잘 도와드렸다. 일이 끝나면 어머니가 저녁을 차려주었는데 음식 솜씨가 좋았고 내 입맛에 꼭 맞았다. 그래서 나는 평소에도 자주 놀러 가게 되었고, 그 집에서도 별식을 하면 같이 먹자고 나를 부르셨다.

그러다 보니 성태 가족뿐 아니라 친척들까지도 알게 되었다. 그때 성태 4촌 승규도 알게 됐고, 성주에서 와서 중앙대학에 다니시던 준희형도 알게 되었다. 그 친구집이 우리 집처럼 편했고, 성태 동생들도 나를 많이 따랐다.

장승배기에서 신림동 방향으로 오른쪽으로 돌아 조금만 가면, 도로 우측에 극장이 하나 있었다. 이름은 강남극장이었다. 학교에 오갈 때 그 앞을 지나다녔다. 페인트로 그린 영화 간판이 유혹했으나, 우리가 봐도 되는 영화는 그리 많지 않았다. 거기에서 본 영화 중 가장 기억에 남는 영화는『돌아온 외팔이』였다. 한쪽 팔이 없는 장애인이 어쩌면 그렇게 칼싸움을 잘하는지, 그 정도로 칼싸움을 잘할 수 있다면, 한쪽 팔을 자를 수도 있겠다고 생각했다.

중3 때는 박은자라는 영어 선생님이 담임을 맡으셨다. 박은자 선생님은 아가씨였고, 얼굴은 이국적으로 생겼으며 다리는 굵고 치마를 늘 입고 다니셨다. 아이들은 선생님을 좋아하면서도 짓궂게 굴었다. 그 선생님 수업 시간이면 출입문 위에 칠판지우개를 올려놓거나, 선생님이 계단을 오르내릴 때는 속옷을 보려고 뒤따라가기도 했다. 그러나 그 선생님의 치마는 늘 길었다. 박 선생님이 다른 남자 선생님들과 얘기만 해도 서로 좋아한다고 헛소문을 퍼뜨리기도 하고 선생님 이름을 현재형, 미래형으로 바꾸어 부르며 장난을 치기도 했다.

고등학교 시절

(1) 고교 시절의 추억

고등학교 진학은 우리 인생에 있어서 하나의 중요한 갈림길이다. 우선 인문계를 갈 것이냐, 아니면 실업계를 갈 것이냐를 결정해야 한다. 대학 진학을 하려면 인문계 고등학교를 선택하고, 고등학교 졸업 후 취업하려고 하면, 실업계 고등학교를 선택한다. 그리고 실업계 학교도 다시 공고, 상고 그리고 농고로 나뉜다.

나는 가정 형편이 넉넉지 않아서 실업계 고교를 가야 했는데, 나는 그중에서 농고를 가고 싶었다. 하지만 집 주변에 농고가 없을 뿐만 아니라, 어른들도 농사의 '농'자도 꺼내지 말라고 나에게 야단을 치셨다. 힘든 농사일에서 벗어나라고 서울에 공부하러 보냈는데 농고를 간다고 하니 야단치시는 어른들의 심정도 이해는 되었다.

가족들과 의논한 결과 발전 가능성이 크고 취업도 잘 되는 공고의 전자 분야가 좋겠다고 하여, 나는 서울공고 전자과에 입학하게 되었다. 서울공고는 역사가 오래되었고 취업도 잘 되어서 당시에는 인기가 높았다. 서울공고에 합격하면 시골 중학교에서는 교문에 축하 현수막을 내걸기도 했다.

서울공고에는 13개 과가 있었는데 전자과와 기계과가 가장 인기가 있었고 합격선도 가장 높았다. 학과별 학생 수가 60명인 학과도 있고, 30명인 학과도 있었는데 우리 전자과 학생들은 30명이어서 같은 30명인 인쇄과 학생들과 같은 교실에서 인문과목 수업을 받았다.

전자과 친구들

인쇄과 친구들보다 전자과 친구들이 공부도 더 잘하고 개성도 강하고 개인주의적인 성향이 있었다. 공업학교의 수업은 인문과목과 전문과목으로 나누어지는데, 전문과목에 배정된 시간이 좀 더 많았다.

인문과목은 인쇄과 친구들과 같이 60명이 일반 교실에서 받았다. 그리고 전공과목은 별도의 건물인 전자과 실습동에 가서 이론 공부도 하고, 실습도 했다. 그리고 3학년 2학기 때는 공장에 가서 실습을 하는 것으로 수업을 대신했다.

전자과 소풍날

전자과의 이론 공부는 전자 기초이론, 전자부품별 기능, 회로의 구성과 설계 등이었다. 그리고 실습은 전자부품을 실제로 전기인두로 땜질해서 라디오나 전축 그리고 TV 등을 조립했다. 손재주가 좋은 친구들은 재학 중에 전국기능경기대회에 나가 수상을 하기도 하고, 전자 분야는 일본이 앞섰기 때문에 또 다른 친구들은 일본 서적을 구입하여 공부하기도 했다. 모두 열심히 공부를 했고, 자격증도 많이 취득했다. 2학년을 마친 후 회사에 취업하기도 하고, 시험을 봐서 공무원으로 가는 친구도 있었다. 취업한 친구들은 3학년 1년 동안은 등교하지 않아도 실습시간으로 대체되었다. 그 친구들은 그때부터 돈도 벌며 대입 준비도 했다.

그 당시 라디오는 두 종류가 있었다. 하나는 트랜지스터 라디오이고, 또 다른 하나는 진공관 라디오였다. 트랜지스터 라디오는 콘덴서, 저항, 다이오드 등의 부품을 사용하고 6V 직류 건전지를 전원으로 사용했다. 반면, 진공관 라디오는 다이오드 대신 진공관을 사용하고 100V 교류 전원을 사용했다.

모든 물체를 전기와 연관 지어 본다면, 전기가 흐르는 물체(전도체)와 전기가 흐르지 않는 물체(비전도체)가 있다. 그리고 그 중간 정도의 성질을 갖는 물체도 있는데, 게르마늄이나 실리콘과 같은 반도체가 거기 속한다. 전기를 에너지로 변환시키기 위해서는 앞의 세 가지가 모두 필요하다. 전도체나 반도체를 통하여 흐르는 전류가 흐름을 막는 비전도체를 만나서 열이나 운동 또는 소리 등의 에너지로 변환되기 때문이다.

우리 인생살이도 이와 유사한 점이 많다. 늘 좋은 일만 있고, 역경과 저항에 부닥치지 않으면, 개인은 발전이 없고, 조직은 무기력증에 빠지게 된다. 라디오의 경우 여러 부품이 유기적으로 결합하여 전기 에너지를 다양한 주파수의 소리 에너지로 변환시킨다. 이처럼 우리 사회도 각 구성원이 맡은바 자기 소임을 다할 때 사회가 안전하고 원활하게 운영될 수 있는 것에 비유할 수 있다.

나는 인문과목에 흥미를 느꼈고 전공과목 중 이론 부분도 잘 따라갔다. 문제는 실습이었다. 손재주가 없어서 내가 만든 제품은 매끈하지 못했고, 가끔은 실수를 해서 부품을 태워 먹기도 했다. 점차 실습에 대해 흥미를 잃고, 회의감을 갖게 되었다. 나는 2학년이 되면서 취업과 진학을 놓고 고민을 했고, 그동안 집안 사정도 좀 나아져서 대학에 진학하기로 했다.

그 후 나는 전공은 졸업에 필요한 최소한의 공부만 하고, 나머지 시간은 대학 진학 공부에 할애했다. 공업학교는 대학 진학을 위한 과목이 없거나, 과목이 있어도 형식적으로 몇 시간씩 배정하는 정도였다. 그래서 나는 대학 진학을 위해 독학을 하거나 방과 후에 사설학원에서 보충을 해야 했다.

이렇게 2학년부터 책상 밑에는 수험서, 책상 위에는 전공서를 놓고 어렵게 입시공부를 해야 했다. 교재는 인문학교 책을 서점에서 헌책으로 구입했는데 중요한 부분에 대한 메모도 있고, 한글 전용을 하던 때라 우리 학년 교재는 한글로 되어 있는데 헌책은 한자로 되어 있어서 한자 공부도 같이할 수 있어 좋았다.

그런 가운데도 나는 학교 활동을 열심히 했다. 2학년 때는 반장을 맡았고 학도호국단의 대대 참모로도 참여했으며 아침에는 일찍 등교하여 정문에서 후배들을 지도하는 규율부 활동도 했다. 잘못이 있는 후배들은 겁을 잔뜩 먹고 들어왔다. 우리 규율부는 지각하는 후배들을 오리걸음도 시키고 운동장을 몇 바퀴 돌리기도 했다.

그때 보면 지각하는 학생들이 꼭 반복해서 지각을 했다. 내가 비교적 잘 통과시켜 주자, 지각 대장들은 눈치 빠르게 자진해서 내 앞으로 오기도 했다. 규율부에는 덩치 크고 얼굴이 험악한 농땡이 친구들이 많았다. 그 친구들도 내가 지각생을 통과시켜 주는 것을 보고도 눈감아 주었다. 아마 내가 공부를 잘하는 모범생으로 그 친구들에게 알려져서 그랬던 것 같다.

2학년 여름철에는 학과 대항 웅변대회가 있었는데 내가 전자과 대표로 출전하게 되었다. 나는 전에 웅변을 해본 경험도 없고 숫기도 없어서 부담은 되었으나 한번 도전해 보기로 하고 준비에 돌입했다. 웅변 원고도 내가 직접 쓰고, 웅변 경험이 있는 친구로부터 지도도 받았다. 웅변대회 날, 내가 연단에 올랐을 때 처음에는 긴장해서 암기한 대로 말했으나 조금 진행되자 마음도 안정되고 줄거리도 잘 생각이 나서 그런대로 잘 마칠 수 있었다. 그런데 뜻밖에도 내가 우수상을 받게 되었다. 그때 상품으로 여름에 입는 티셔츠를 받았는데 여름이 되어 그 티셔츠를 입을 때마다 나는 나름대로 뿌듯했다.

(2) 고교 시절 친구들

나는 봉천동에서 고등학교에 다녔다. 그 당시 봉천동은 경제적으로 어려운 사람들이 많이 몰려와서 달동네를 이루고 살았다. 달동네 주민들은 가파른 산기슭에 계단식으로 집터를 닦고, 천막처럼 조그만 집을 짓고 살았다. 천막이 낡으면 비가 새서 그 위에 루핑을 덧씌우고 다시 그 위에 돌을 얹어서 바람에 날리지 않도록 하였다. 그리고 작은 집은 상도동 종점에서 봉천고개를 넘으면 왼쪽 봉천시장 부근 가게가 딸린 일반주택이었다. 그 가게에 대학을 중퇴하고 세탁소를 운영하는 형이 전세로 입주해서 영업을 했는데 나는 그 형으로부터 대학 생활과 봉사활동 등에 관해 많은 얘기를 들었다.

이처럼 주거환경이 열악한 봉천동에서 추재엽, 이규환, 그리고 박기진 등과 학교도 같이 다니고 방과 후에도 늘 같이 어울렸다. 그 친구 중 규환이는 키가 작고 목소리가 약간 허스키하고 곱슬머리였다. 팝송도 잘 부르고 유머 감각이 특출해서 나는 규환이가 코미디언 감이라고 늘 생각했다. 규환이 아버지가 사업에 실패해서 봉천동 달동네로 이사를 왔는데 그런데도 그 친구는 조금도 구김살이 없고 명랑했다.

친구 중 기진이는 집이 매우 가난했다. 기진이 아버지는 일찍 돌아가시고 형이 둘 있었는데 모두 백수였고, 어머니가 하루 벌어 하루 먹고사는 형편이었다. 기진이는 노래를 아주 잘했다. 그래서 여학생들에게 인기가 있었고 이웃에 사는 여학생 하나가 적극적으로 따라다녀서 다른 친구들의 부러움을 사기도 했다. 그 친구가 늘 흥얼거리던 노래가 『한 번쯤』이라는 제목의 노래인데, '한 번쯤 말을 걸겠지. 언제쯤일까 언제쯤일까?'라는 구절을 특히 반복해서 불렀다. 나에게는 그 부분이 여학생들을 유혹하기 위한 말처럼 들렸다.

재엽이와는 특별히 친했다. 규환이와 기진이는 토목과였고 재엽이는 나와 같은 전자과였다. 키는 자그마했으나 얼굴이 이쁘게 생겨서 여학생들이 많이 따랐고 수시로 사귀는 여학생이 바뀌었다. 재엽이는 성질이 급해서 친구들과 싸움이 잦았고 불의를 보면 말보다 손발이 앞섰다. 재엽이는 학도호국단에서는 연대장을 했고 규율부장도 지내며 그때부터 탁월한 리더십을 발휘했다. 우리 전자과 친구들이 다른 학과 친구들한테 맞거나 하면 바로 좇아가서 복수를 하곤 했다. 고집이 세서 다른 사람 말을 잘 듣지 않았으나 내 말은 잘 들었다. 재엽이는 재수를 해서 나보다 한 살 많았지만 사실상 내가 재엽이의 멘토 역할을 한 셈이다.

재엽이는 아버지와 어머니, 그리고 여동생과 같이 생활했는데 가정형편은 좀 나은 편이었다. 소풍을 가는 날이면 내 도시락까지 준비해오는 등 재엽이에게는 자상한 면도 있었다. 재엽이는 고등학교 3년 동안 여름방학 때는 우리 시골에 와서 농사일도 돕고 시골 친구들과 어울려 놀았다. 학교 공부에는 좀 관심이 적어서 시험 전날 커닝 페이퍼를 만들어 시험에 대응했다. 그러나 암기력도 좋았고 마음을 내어 몰입하면 집중력이 대단했다. 재엽이는 고등학교 2학년을 마치고 철도청 공무원 시험에 합격하여 고3 때는 교복을 입고 회사에 출근을 했고 실습시간으로 인정받았다.

고등학생이 된 후에도 나는 촌티를 완전히 벗지 못했다. 서울공고가 남녀공학이 아니라서 여학생들과는 별로 접할 기회가 없었고 여학생들을 사귀는 것은 혼자 시골에서 농사지으시는 어머니에 대한 예의가 아니라고 생각했다. 그리고 무엇보다 공부에 집중해야 한다는 강박 관념도 컸다. 저녁 시간에 영어학원을 다닐 때 여학생들이 먼저 데이트 신청을 해서 빵집에서 몇 차례 만나기도 했으나 오래 지속되지는 않았다. 그 대신 시골 여자 친구들이나 소개를 받은 여학생들과 펜팔을 하였다. 그 당시에는 펜팔이 유행이었고 중요한 교제 수단이었다. 그리고 나는 편지를 멋있게 쓰기 위해 시집도 사서 읽고 좋은 글귀를 보면 메모해 두었다가 베껴 쓰기도 했다.

한번은 나보다 시골 초등학교 1년 후배가 같은 포항여고에 다니던 친구를 소개해 주었다. 그래서 나도 중·고등학교 친구인 성태를 그 후배에게 소개해 주었다. 우리는 처음에는 서로 편지를 통하여 인사와 소개를 하고 조금 진행이 된 후 사진도 교환했다. 2학년 여름방학에 성태가 서울에서 우리 시골로 놀러 왔고 후배 친구도 후배 집에 놀러 와서 우리 넷은 시골 마을에서 상견례를 가졌다.

그리고 다음 날 해수욕을 하자며 포항 시내로 나갔다. 그렇게 하루를 보낸 뒤 밤이 늦고 버스도 떨어져서 성태와 나는 인근 여인숙에서 자기로 했다. 여학생 둘도 잠시 여인숙에 들어와서 음료수를 먹으면서 얘기하고 있는데, 경찰관 한 명과 방범대원 한 명이 와서 신분증을 보자고 했다. 우리는 당황했고 사정을 설명했다. 그 경찰관은 통행 금지 시간이 되기 전에 여학생들은 빨리 집으로 가라고 하며 여학생 둘을 데리고 나갔다. 그때나 지금이나 어른들은 학생들을 못 믿는 모양이다.

제 4장

대학시절

대학입시

우리가 대학 시험을 볼 당시에는 4년제 대학의 경우 예비고사와 본고사로 나누어져 있었다. 예비고사는 본고사를 보기 위한 자격시험의 성격을 띠었다. 예비고사는 문교부 주관으로 정해진 날짜에 동시에 시행되었고 문제는 객관식으로 출제되었다. 예비고사 점수는 각 대학에서 참고는 하였으나 합격자 결정에 직접 반영하지 않았다.

본고사는 각 대학 주관으로 같은 날짜에 일제히 치러졌고 일반적으로 주관식과 객관식 혼합형으로 출제되었다. 그리고 본고사는 1차, 2차, 3차로 나뉘어 실시되었다. 1차로 시험을 보는 대학은 소위 1류대학이었고, SKY대학, 이화여대, 숙명여대와 지방 국립대학이 여기에 속했다. 2차로 시험을 보는 대학은 2류대학, 3차로 시험을 보는 대학은 나머지 모든 대학과 야간대학이었다. 예비고사는 300점 만점으로 국·영·수는 각각 50문제, 기타 과목은 25문제가 출제된 것으로 기억

한다.

나는 예비고사에서 비교적 고득점을 받았다. 예비고사 후 채점을 한 결과 300점 만점에 286점 정도가 나왔다. 예비고사 후 다소 자신감은 생겼으나, 학교와 학과 선택 과정에서 또 갈등을 겪었다. 나는 농대의 농업경제학과를 가고 싶어 했고, 가족들은 고등학교를 공고 전자과를 나왔으니 대학도 전자공학과를 가라고 했다. 대학만은 내가 가고 싶은 학과를 가야 할 것 같아서 고집을 굽히지 않고 서울대 농대 농업경제학과를 지원했다.

서울대 본고사 시험은 주관식 문제가 많았고 특히 국사 과목이 어려웠다. 나는 보기 좋게 1차 시험에 떨어졌다. 공고에서 국사를 체계적으로 공부하지 못한 데다 단순히 암기하는 것으로는 역부족이었던 것이다.

1차 시험에 실패하여 2차 시험을 치러야 했다. 2차로 시험을 보는 대학 중에 농업경제학과가 있는 대학은 서울지역에서는 동국대학교뿐이었다. 그래서 동국대학교 농림대학 농경제학과에 지원해서 시험을 쳤다. 2차 대학은 필수과목과 선택과목으로 나뉘어 있었는데, 국어·영어·국사는 필수였고 선택은 물리, 화학, 수학 중에 2과목을 선택하면 되었다. 나는 화학과 수학을 선택했다. 수학은 정확한 산식과 정답을 쓰면 고득점을 받을 수 있고 무엇보다 내가 수학을 특히 좋아했으며 자신감도 있었다.

그런데 농림대학 수험생 중 수학을 선택한 사람은 나 혼자뿐이었다. 시험감독 선생님이 시험지 한 장을 들고 와서 나를 찾았다. 그리고 감독 한 명에 수험생 한 명으로 시험을 보았다. 세 문제가 주관식으로 출제되었는데 50점짜리가 한 문제, 25점짜리가 두 문제였다. 나는 비교적 수월하게 산식과 정답을 쓸 수 있었고 내 작전이 성공했다는 생각이 들었다.

예비고사 성적도 높고 본고사에서도 고득점을 하여 나는 산학협동 장학생으로 선정되었다. 그 당시 최고의 국가 장학생이 5·16 장학생과 산학협동 장학생이었다. 나는 4년간 수업료 전액을 면제받고 학기별로 40만 원 정도의 활동보조비도 별도로 지원받았다. 그 당시 40만 원은 지금으로 보면 400만 원이 넘는 액수였다. 나는 활동보조비를 받으면 같은 과 친구들에게 우선 한번 쏘았다. 나머지로는 6개월 동안 책값, 교통비 그리고 용돈으로 쓰고도 남았다. 그래서 그 당시 포철공고에 다니던 둘째 남동생이 대학입시 공부를 시작할 수 있었다.

대학생활

내가 선택한 동국대학은 불교 정신을 바탕으로 학술과 인격을 연마하는 것을 목표로 1906년에 명진학교라는 이름으로 설립되어 100년 넘는 긴 역사를 가지고 있었다. 그 후 1940년 혜화전문학교로 개칭되었다가 1946년 동국대학으로 승격되었다.

1974년 3월 초 대학 입학식이 있었다. 우리 대학의 신입생은 1,000명 정도였다. 우리가 입학할 때는 학교마다 교복이 따로 있었고, 학교 배지를 교복 왼쪽 주머니 위에 달고 다녔다. 그때는 대학생이라는 것이 자랑이었다. 다소 자기 과시적인 군사 문화적 잔재가 남아서 그랬던 것으로 생각된다. 그래서 배지를 보면 어느 학교 다니는 대학생이라는 것을 바로 알 수 있었다.

동국대학은 남산 기슭에 있었다. 퇴계로 대한극장 앞 버스정류장에 내려서 제일병원 골목을 경유하여 후문으로 학교로 들어가기도 하고,

장충체육관 앞에 내려 장충단공원을 경유하여 정문으로 들어가기도 했다. 학교에 오르는 길이 가팔라서 숨이 찼으며 특히 여름에 땀을 많이 흘리는 나로서는 어려움이 많았다. 장충단공원은 데이트족들이 많이 찾았고 저녁이면 우리는 태극당 건너편 할매족발집을 자주 들르곤 했다.

1학년 때는 주로 교양과목을 공부했다. 좀 특이한 것은 동국대학이 불교재단의 대학이라 교양과정에 불교 관련 과목이 많았다는 점이다. 그리고 불교 성전과 불교 문화사 등은 교양필수로 지정되어 있었다. 당시 재단 이사장이 서암 스님이었다. 학교 안에 정각사라는 조그마한 사찰이 있었는데 그 사찰에는 주지 스님이 별도로 임명되어 있었다. 동국대 승가학과는 우리나라 최고의 현대식 불교 교육 과정으로 인정받았고 스님들이 재학하고 있었다.

불교 관련 과목 중에서 불교 성전은 기독교의 성경과 같은 책이었는데 이야기 형식으로 되어 있어서 매우 재미있었다. 그리고 불교문화사도 대머리 교수님이 강의를 구수하게 잘하셔서, 빠지지 않고 열심히 들었다. 그리고 2학년이 된 후 전체 학생 중 희망자를 대상으로 수계식을 했는데 나는 그때 신청을 했고 '정심(淨心)'이라는 법명을 받았다.

수계(受戒)는 불교를 믿는 자들이 불교의 개조인 석가가 제정한 계율(戒律)에 따를 것을 맹세하는 의식을 말한다. 기독교에 모세의 십계명이 있듯이 불교에는 석가의 5계가 있다. 5계는 ①불살생계(不殺生戒) : 살생하지 말라 ②불망어계(不妄語戒) : 거짓말하지 말라 ③불투도계(不偸盜戒) : 도둑질하지 말라. ④불사음계(不邪淫戒) : 간음하지 말라 ⑤불음주계(不飮酒戒) : 술을 먹지 말라 이다. 수계를 하는 방법은 수계사(授戒師)이신 큰스님께서 수계의 의미에 관해 설명하고 향에 불을 붙여서 수계를 받는 사람 팔뚝을 지지는 형식으로 진행되었다.

입학을 하자마자 학교 내에서 민주화 시위가 거세게 일어났다. 우리는 어깨로 스크럼을 짜고 줄을 서서, 처음에는 학교 내에서 돌다가 신호에 따라 거리로 진출했다. 제일병원 방향은 길이 가파르고 좁아서 주로 장충공원 방향으로 진출했다. 우리는 경찰들에게 저지당했고 때론 최루탄을 마시기도 했다. 그때 유명했던 민청학련사건이 있었고 학생시위로 인해 휴교령이 두 차례나 내려졌다. 나도 학교 내에서 시위를 하는 모습이 경찰 카메라에 채증이 되어 종로경찰서에서 조사를 받았으나 주위의 도움으로 큰 처벌 없이 훈방되었다.

대학 입학을 하면 달라지는 것 중의 하나가 자유롭게 미팅을 할 수 있는 것이었다. 대학생끼리도 미팅을 했지만 그때는 대학을 다니는 여학생 수가 워낙 적어서 직장 여성들과도 미팅을 했다. 미팅을 즐기는 친구들도 있었으나 나는 남녀가 물건 고르듯 파트너를 선택하고 얘기하는 것이 무척 어색하고 쑥스러웠다. 종이에 남자 이름이나 여자 이름을 써서 추첨하는 방식으로 파트너를 정하기도 하고, 손수건 등 소지품을 내놓고 여자들이 선택하도록 하기도 했다. 남의 떡이 더 커 보이듯이 내 파트너보다 늘 친구들 파트너가 더 예뻐 보였다.

한번은 한양대 의류학과 일 년 후배들과 미팅을 했는데 얼굴이 통통한 부잣집 아가씨인 A양을 만나게 되었다. 그 후 그 여학생이 친구들과 우리 학교로 자주 놀러 왔다. 몇 차례 둘이서 만나 식사도 하고 영화도 보았으나 이성으로 마음이 확 끌리지가 않았고, 술을 몇 잔 먹어도 손을 잡는 등의 스킨십을 하지 않았다. 그런데 그 여학생은 점점 학교에 자주 찾아왔고 나는 약간의 심적인 부담을 느꼈다. 나는 친구들과 봉사활동 단체를 만들어서 활동을 했는데, A양이 그 단체에도 가입해서 같이 활동을 하게 되었다.

그러던 중 고등학교 절친 재엽이에게 A양과의 관계를 털어놓았더니, 나보고 병신 같은 놈이라고 하면서 자기가 한 방에 해결하겠다고 큰소리를 쳤다. 그 친구가 덩치는 나보다 작으나 얼굴이 예뻐서 여자들이 주위에 늘 수두룩했다. 얼마 지나지 않아 그 친구는 작전에 들어갔다. 두 사람은 사이가 무척 좋은 듯 보이더니 그다음 해 A양이 3학년 때 둘은 친구 중 가장 빨리 결혼식을 올렸다. 잘나가던 제비의 발에 족쇄가 채워지고 말았다. 나는 그 친구에게 미안하기도 하고 고맙기도 했다. 내가 그 친구 결혼식에 사회를 봤고 내 결혼식에는 그 친구가 사회를 봤다. 우리의 인연이 매우 유별한 것이었을까?

그 당시 대학에는 여러 서클이 있었다. 국제적 조직을 갖고 있는 서클도 있고, 사물놀이 등 취미가 같은 사람들끼리 모인 서클도 있었다. 나는 우리 학교 같은 학년 남학생 셋, 여학생 둘 등 모두 다섯 명이 스터디그룹을 만들어 토론과 공부를 했다. 그리고 외부의 학생들 20여 명과 '호롱불'이라는 사적 모임을 만들어 사회 봉사활동을 했다. 그 이름도 내가 지었고 초대 회장도 내가 맡았다. 호롱불의 필요 자금은 회비와 일일 찻집을 통해서 조달했다. 당시에는 일일 찻집이 유행이었다. 다방을 하루 동안 빌린 후, 티켓을 주로 대학생과 젊은 사람들에게 팔았다. 그 장소는 젊은이들이 이성 친구들도 사귀고 즉석 미팅도 하는 등 사교의 장이 되었다. 그렇게 마련한 돈으로 불우이웃 시설을 방문해서 위문하기도 하고 여름방학 때는 농촌 봉사활동도 다녀왔다.

내가 다니던 농업경제학과는 농림대학에 속했으나, 학위가 경제학

사이고 경제학, 통계학, 회계학, 경영학 등 수업은 경상대학 학생들과 많이 했고, 농업경제 및 농업과 관련된 과목은 농림대학 학생들과 수업을 했다. 내가 입학하기 전에 생각했던 것처럼 수업을 통하여 농촌 개혁이나 농촌 활성화를 위해 내가 '올인'할 영역을 찾기란 쉽지 않았다. 농업협동조합과 농민단체의 구성과 활성화가 농산물 가격 안정과 농민들의 권익 신장에 도움이 될 수 있다는 사실은 알 수 있었다. 나는 농업에 대한 고민과 함께 경제학과 영어 등 취업에 관계되는 과목 공부에 집중했다.

그리고 우리 학과 친구 중에는 김익수와 정기철, 두 친구와 친하게 지내고 많이 어울렸다. 그 당시 친구들은 학교에서 농구를 하거나 잔디밭에 앉아 동전을 가지고 '짤짤이'라는 놀이를 했다. 처음에는 동전으로 짤짤이를 하다, 나중에는 지폐가 오가곤 했다. 그리고 수업이 없을 때는 하숙하거나 자취하는 친구 방에 가서 고스톱을 하며 놀곤 했다. 그런데 나는 짤짤이를 거의 하지 않았다. 돈을 따면 친구에게 미안하고 잃게 되면 돈 잃고 시간도 빼앗기는 셈이어서 싫었다. 고스톱도 마찬가지였다. 나는 친구들과의 술자리는 빠지지 않았지만 잡기(雜技)는 내 취향에 맞지 않았다.

오히려 운동을 했다. 친구들 가운데 기철이는 울산 학성고등학교 출신이었는데 점잖고 테니스를 열심히 했다. 학교 정문 옆에서 하숙을 했는데 친구들이 기철이 하숙방을 자주 들락거렸다. 익수는 독실한 기독교 가정에서 자란 모범생 중의 모범생이었다. 우리 셋은 ROTC(학군단)에 동시에 입단하면서 더욱 친해졌고 많은 짓궂은 추억들을 만들었다.

ROTC 훈련

남자 대학생들의 공통적인 고민 중의 하나가 병역 문제였다. 재학 중에 군에 다녀와서 졸업과 동시에 취업을 할 것인가, 아니면 졸업을 하고 군에 갈 것인가를 결정해야 했다. 나는 기왕에 군에 갈 바에는 좀 고생이 되더라도 장교로 군 생활을 하는 것이 좋겠다고 생각하고, 2학년 말에 ROTC에 지원했다.

우리 학교에서는 모두 160명 정도 선발했는데, 나도 국군병원의 신체검사와 체력검증을 통해 ROTC 16기 후보생으로 선발되었다. 우리 농업경제과에서는 나하고 친하게 지내던 기철이와 익수를 포함해서 일곱 명이 선발되었다. 3학년 개학과 동시에 학군단 입단식을 갖고 훈련을 시작했는데, 입단하기 전에 후보생들을 소집해서 예비적인 적응훈련을 실시했다.

그 훈련에 잘 적응하는 사람은 정식으로 입단을 허락받지만, 적응을 못 하는 사람들은 이 훈련 과정에서 탈락했다. 그 예비 훈련 이름을 AT(animal training), 또는 BT(beast training)라고 불렀다. 사람을 동물이나 야수로 바꾸는 훈련이라는 의미이다. 새벽 6시에 집합을 시켜서 한 1주일 정도 강한 정신 훈련과 체력 훈련을 실시했는데, 유격 훈련과 같이 정신 못 차리도록 세차게 몰아붙였다. 그리고 동작이 느리거나 틀리면 가차 없이 얼차려가 가해졌다. 토끼뜀, 오리걸음, 팔굽혀펴기, PT체조, 그리고 몽둥이찜질까지….

그 훈련 가운데 내게 가장 힘든 것은 '부동자세'였다. 교관이 '동작 그만'하고 구령하면, 모든 동작을 멈추어야 하는데, 눈을 깜빡이거나 침을 삼켜도 안 되었다. 한참 동안 눈을 깜박이지 않는 것이 숙달될 때까지는 쉽지가 않았다. 아무리 참으려고 해도 무의식중에 눈을 깜박거리게 된다. 한동안 눈을 깜박이지 않으면 눈에서 저절로 눈물이 줄줄 흘러내렸다. 교관이 눈 깜박인 후보생은 자진해서 앞으로 나오라고 하는데, 눈물이 줄줄 흐르지 않는 사람이 안 나가고 있으면 '양심 불량'이라고 하여 얼차려를 가했다.

나는 그 훈련 과정에 비교적 잘 적응했다. 한번은 내가 웃는 인상이라서 그런지 교관으로부터 왜 훈련 중에 웃느냐는 지적을 받았다. 그때 나는 "웃지 않았습니다!"라고 대답했다가 '양심 불량'이라는 누명을 쓰고 신나게 얻어맞았다. 이러한 지적이나 얼차려는 모두 훈련의 일환이었다. 내가 아니면 다른 누군가가 지적을 받아야 했다. 이 과정에서 정신력이나 체력이 약한 사람들은 동물이나 야수가 되길 포기하고, 평범한 인간으로 다시 돌아갔다.

이 예비 훈련에서 터득한 노하우 중 하나가 군에서는 앞서지도 말고 뒤처지지도 말고 중간 정도 하는 것이 최고라는 사실이었다. 예컨대 선착순에서 앞에 들어오면 의리 없다고 얼차려를 받고, 뒤에 들어

오면 장교가 될 자격이 없다고 얼차려를 받았다. 그래도 뛰다 보면 항상 앞에 들어오는 사람, 뒤에 들어오는 사람은 있기 마련이었다.

3학년 개학과 동시에 ROTC 입단식도 가졌다. ROTC 단복을 입고, 짧은 머리에 검은 베레모를 쓰고 교정을 다니다가 4학년 ROTC 2년차 선배가 보이면 100m 거리에서도 '단결!'하고 목이 터져라 구령을 붙이면서 거수경례를 했다. 가까이 있던 사람들은 깜짝 놀라기도 하고, 불쌍하다는 듯 키득키득 웃기도 했다. 우리는 이미 인간이 아니고 야수로 변해있었기 때문에 창피한 줄도 몰랐다. 훈련의 힘이 참 대단하다는 것을 느꼈다.

학군단 친구들

입단 후 며칠이 지나지 않아 1년 선배들에게 신고를 해야 했다. 그 신고식은 과별로 이루어졌는데, 나름대로 전통과 특징이 있었다. 우리 과는 우리 동기가 일곱 명, 선배들이 다섯 명이었다. 신고식 집합

장소는 명동칼국수집 옥상이었다. 우리가 훈련복 차림으로 그 장소에 도착하자 선배들이 야구방망이를 준비해서 기다리고 있었다. 첫 환영 인사가 1인당 '빠따' 열 대씩이었다. 그리고 식당에 내려와 화기애애하게 수육에 막걸리를 마셨는데, 선배들이 친절하고 자비롭게 보였다. 긴장이 좀 풀리려는 순간 "식당 앞에 헤쳐모여!"라는 구령이 떨어졌다. 우리가 식당 앞에 모이자, 군기가 빠지고 선배들과 맞먹으려 한다는 이유로, 사람들이 많이 다니는 도로 한복판에서 포복을 시키는 것이었다. 정신통일을 외치며 한참 동안 포복 훈련을 한 후, 다시 식당으로 들어가 파전과 수육에 막걸리를 분위기 좋게 마셨다.

우리는 훈련이 끝난 줄 알았다. 그런데 한 선배가 일어서더니 또 "동작 그만"을 외치는 것이었다. 우리는 술이 확 깼고, 또 임무가 떨어졌다. 지금부터 거리로 나가서 선착순으로 여자 파트너를 한 사람씩 데리고 오라는 것이었다. 나는 익수와 둘이 한 조가 되어 명동 번화가로 나가서 둘씩 다니는 아가씨들을 대상으로 읍소를 하기 시작했다. 두 여자 중 한 사람이 따라오려고 하면 다른 한 사람이 꼭 튕기곤 했다. 그것도 둘 중 더 못생긴 여자가 잘 튕겼다. 여러 차례 시도 끝에 우리는 두 아가씨를 데리고 중간 정도 순위로 식당에 도착했고 그후로는 데리고 온 여자들과 같이 어울려서 밤늦도록 막걸리 파티를 했다. 우리가 4학년이 되어서는 똑같은 프로그램으로 후배들의 신고를 받았다.

대학 3학년이 되면서 학과 공부와 ROTC 훈련을 병행해야 했다. 매주 목요일에는 종일 군사훈련을 받았다. 그래서 일반 학생들도 3, 4학년은 목요일은 수업이 없었다. 그리고 여름방학 기간 중 한 달씩 군부대에 들어가서 합숙을 하며 집중적으로 군사훈련을 받았다.

3학년 여름방학 때는 대구에 있는 50사단에 입소했다. 군사훈련장이

'개구리 소년 실종사건'으로 일반에 잘 알려진 와룡산 기슭에 설치되어 있었다. 그해 그곳은 유난히 더웠고 물이 귀해서 여간 불편하지 않았다. 그리고 4학년 때는 성남에 새로 만든 육군행정학교에서 수도권 후보생들이 같이 모여 하계 병영훈련을 받았다. 그곳은 시설도 현대화되었고 훈련도 체계적으로 이루어졌다. 이렇게 한 달 동안 합숙 훈련을 마치고 캠퍼스로 복귀하면 치마 두른 여학생들은 모두 예뻐 보였다.

이렇게 학교에서의 훈련 과정과 여름 병영 훈련 과정을 모두 마치고 임관시험에 합격하면 우리 후보생들은 학교 졸업보다 며칠 앞서 임관을 했다. 임관식은 육군행정학교에서 국무총리가 참석한 가운데 성대하게 개최되었다. 임관식에서는 모든 교육 과정을 잘 마쳤다는 의미의 수료증과 함께 양쪽 어깨에 소위 계급장도 달아주었다. 수료증에는 군번이 적혀있는데 그 군번이 바로 후보생의 2년 동안의 전체 성적 순위였다.

나는 78-01327번이었다. 1978년도 소위 임관을 했는데, 우리 ROTC 동기들 가운데 1,327등이라는 의미이다. 소위 계급장은 부모님이나 애인이 오는 사람은 가족들이 달아주기도 하고, 혼자 참석한 경우는 육군행정학교 간부들이 달아주었다.

그리고 소위 임관 때 학교별로 기념 반지를 맞추어 끼는 전통이 있었다. 그리고 그 반지는 18K 5돈에 초록색 루비를 박은 것이었다. 그 루비의 색깔이 장교들의 출신을 상징했는데, 초록색은 ROTC 출신 장교를 상징했다. 육사 출신들은 적색 루비를, 3사 출신들은 보라색 루비를 사용했다. 우리 동기 중에는 같은 모양의 조그마한 새끼 반지를 하나 더 만드는 사람들도 있었다. 임관식 때 자기 어머니께 끼워드리기도 하고 군 복무를 하는 동안 그 반지를 보면서 신발 거꾸로 신지 말라고 여자 친구에게 끼워주는 사람들도 있었다.

제 5장

스릴 있었던 군(軍) 생활

병과 교육

우리 ROTC 출신 장교들은 졸업과 동시에 소위로 임관하고, 각 병과 별로 16주간 별도 교육을 받은 후, 일선 부대에 배치되었다. 전체 의무복무기간이 28개월이었으나, 병과별 교육 16주를 제외하면 일선 부대에 배치되어 실제 근무 기간은 24개월이었다. 나는 보병 병과를 받아서 전라도 광주 상무대에서 교육을 받았다. 우리 ROTC 동기 3,000명 중 보병이 2,000명 정도 되었고, 나머지는 대학 전공과 개인 특기에 따라 병과를 받았다.

여러 병과 중 보병, 포병, 기갑이 전투 병과였는데 훈련과 규율이 엄격했고 모두 상무대에서 병과 훈련을 받았다. 우리 보병 병과 동기들은 용산역에서 집결하여 인원 확인 후 기차로 송정역까지 와서 상무대로 이동하여 훈련을 받았다.

우리는 거기서 초급장교로서 필요한 리더십, 국제정세 및 남북 관계, 군 장비의 제원 및 사용법, 각개 전투 훈련 그리고 체력훈련 등을 체계적으로 받았다. 보병은 말 그대로 걸어 다니면서 전투하는 군인이라 특히 막강한 체력이 필요했다. 보병은 '3보 이상 구보' 그리고 포병은 '3보 이상 탑승'이라는 말이 있었는데, 포병 친구들이 보병 친구들을 약 올리려고 만든 말인 듯했다.

여러 훈련 중 특별히 힘들어 기억에 남는 것이 두 가지 있었다. 하나는 무장 구보이고, 다른 하나는 유격 훈련이었다. 무장 구보는 크게 두 가지로 나뉜다. 하나는 총과 배낭을 메고 뛰는 완전군장 무장 구보이고, 다른 하나는 총만 메고 뛰는 단독군장 무장 구보이다. 뛰는 거리는 모두 10km였는데, 체력이 약한 친구들은 거품을 물고 쓰러져서 구급차를 타고 부대로 복귀하기도 했다. 나는 시골에서 태어나 초등학교를 산을 넘어서 다녔고, 지게를 지고 농사일도 해보고 운동도 좋아해서 그 정도는 할 만했다. 그래서 나는 힘들어하는 동료들의 총을 받아주기도 하고 뒤에서 밀어주거나 앞에서 끌어주기도 했다. 그런데 그러한 행동들이 모두 체크되어 부대 배치에 반영되는 줄은 몰랐다.

또 하나는 유격 훈련이었다. 유격 훈련은 피교육자들의 계급장과 이름표를 떼고 각자 고유번호를 부여하며 이름은 모두 '올빼미'로 통일되었다. 장소는 지리산 골짜기 동복이라는 곳인데 김삿갓의 고향으로 잘 알려져 있다. 이 유격 과정을 통과해야 보병 장교가 될 수 있었고, 나중에 안 일이지만 많은 사람이 이 유격 훈련이 겁나서 장교 지원을 하지 않는다고 들었다.

이 유격 훈련은 2주 동안 계속되었는데 봉체조와 PT체조 등 체력 훈련을 비롯하여 외줄 타기, 막타워 점프, 참호격투 등 장애물 훈련으로 구성되어 있었다. 외줄타기를 할 때는 교관들이 언덕 위의 무덤을 가리키면서 외줄타기 훈련받다가 죽은 사람 무덤이라면서 겁을 주기도 했다. 새벽 6시부터 저녁 늦게까지 훈련을 받았는데 처음 며칠은 너무 힘들고 피곤해서 아침에 눈곱으로 눈꺼풀이 서로 붙어서 침을 발라서 떼곤 했다.

훈련 마지막에 1박 2일간 '생존 훈련'을 했다. 먹을 것을 주지 않고 산에서 나는 나물, 풀뿌리, 열매 등을 먹으면서 목적지까지 가는 훈련이었다. 그래도 나는 시골 출신이라 찔레, 송기, 주치, 잔대 등을 채취해 먹으면서 자연인으로 돌아가 2일 동안을 잘 버티었다.

상무대에서의 보병 훈련은 힘든 경우도 있었지만 봉급도 나오고 주말이면 외출·외박이 허용되었다. 나는 경상도에서 태어나 서울에서 생활해서 호남 지방의 언어와 문화가 생소하고 신기했다. 그래서 훈련 동기들과 어울려 주말이면 광주 시내 충장로를 비롯하여 목포, 여수, 나주, 전주 등 인근 지역을 두루 여행했고 여러 지역 향토음식도 맛보았다. 호남지역은 광주의 무등산, 목포의 유달산 그리고 여수의 오동도 등 산과 바다가 어우러지고 평야가 많아서 먹을 것 걱정이 없는 천혜의 땅이었다.

이렇게 갖가지 추억을 만들면서 16주간의 병과 훈련을 마치고, 앞으로 2년간 근무할 부대 배치를 받았다. 다른 동료들은 수료증과 같이 배치부대 용지를 받았는데, 나에게는 송정역에서 서울로 가는 열차 몇 호차에 타라는 얘기만 했다. 나는 그 지시대로 군장을 꾸려서 서울로 가는 기차에 올랐다.

기차가 출발하자 인솔 장교가 와서 부대배치 명령서를 나에게 주었는데, 거기에는 '특전사령부'(공수부대)라고 적혀있었다. 주변에 있던 친구들은 나를 위로했고, 자기들끼리 각자 얼마씩 돈을 갹출하여 나에게 주었다. 위로용 술값으로 거둬 준 것이라고 했다. 상무대에서 부대배치 명령서를 나누어 주면, 특전사로 배치된 사람들이 학교 관계자들에게 항의하면서 학교 유리창을 박살내기 때문에 기차간에서 나누어 준다는 것을 그때 알았다.

나는 기왕에 군대 생활하는 거, 화끈하게 한번 해보자고 생각하고 마음을 다잡았다. 그때 내가 왜 특전사로 차출되었을까 생각해 보았다. 무장구보할 때 힘들어하는 친구들을 도와준 것, 유격 훈련에서 잘 적응한 것, 그리고 고등학교 다닐 때 태권도 유단자가 되었는데 그것이 신상기록에 남아있었던 것 때문인 듯했다. 서울에 도착해서는 가족들이 걱정할까 봐 여군 훈련소에 배치되었다고 거짓말을 했다. 그리고 며칠 휴가를 마치고 특전사령부에 가서 전입신고를 했다.

특전사 기본교육

보병 병과에서 특전사로 배치된 동기들은 120명 정도 되었는데, 사령부에서 다시 1, 3, 5, 7, 9, 11, 13여단으로 나누어 재배치되었다. 나는 도깨비부대인 9여단에 배치되었고, 다시 51대대, 2지역대, 5중대, 2지대장으로 발령을 받았다. 1개 지대는 최소한의 전투단위로 장교 한 명에 부사관과 병 10명으로 구성되어 있었다. 우리 지대는 부사관이 다섯 명, 병이 다섯 명이었다. 부사관들은 나보다 나이가 많은 사람도 있었고, 결혼을 해서 자녀를 두고 있는 사람들도 있었다. 3개 지대가 모여 1개 중대가 되고, 3개 중대가 모여 1개 지역대, 3개 지역대가 모여 1개 대대가 되었고, 1개 대대 인원은 약 200명 정도였다.

특전사(공수부대)는 북한의 특수 8군단이나 경보병 여단과 같이 비정규전을 수행하는 부대다. 전쟁이 발발하거나 유사시 공중이나 바다를 통하여 적 지역에 침투해서 요인을 암살하거나 주요시설을 폭파하는 것이 주 임무다. 따라서 적 지역에 침투하기 위해서 공수교육과 해상침투훈련을 받았고 적 지역에서 임무를 수행하기 위하여 독도법, 아군 협력 요원과 접촉, 비표를 이용한 통신, 그리고 폭파 등 특수전 교육을 받아야 했다. 공수교육과 특수전 교육을 받기 전에는 특전사 요원이 아니었다. 그야말로 '물장교'였고 지대원들도 장교 대접을 제대로 해주지 않았다.

먼저 사령부에 입교하여 전체 기수 제183차로 4주간의 공수교육을 받았다. 거기서는 낙하산을 메고 땅에 떨어질 때 충격을 최소화하기 위한 접지 훈련과 비행기에서 공중으로 안전하게 뛰어내리기 위한 막타워 훈련, 낙하산을 타고 내려오는 동안 방향을 조정하는 훈련, 주 낙하산이 안 펴질 경우 예비 낙하산을 펴는 훈련 등을 받았다. 그리고 마지막으로 수송기를 타고 네 차례의 실제 공중낙하를 했다. 그제서야 나는 공수부대 요원이 된 기분이었고, 스스로 뿌듯함을 느꼈다. 그때부터 계급장 위와 왼쪽 이름표 위에 새의 날개 모양의 '윙'을 달 수 있었다.

특전사 요원은 네 차례 점프가 기본이고 그 후에는 특전사 요원의 자격을 유지하기 위해 3개월에 한 번씩 점프를 해야 했다. 한·미합동훈련 등 실제 훈련을 할 때는 하루에 두세 차례 점프하는 경우도 있었다. 그렇게 해서 나는 모두 20차례 정도 점프를 한 것 같다. 점프를 할 때는 1지대 11명이 한쪽 비행기문으로 차례로 뛰어내렸는데, 지대장과 선임하사가 맨 앞과 맨 뒤에서 뛰어내렸다. 명분은 지대원을 보호하고 지휘한다는 것이었으나, 사실은 맨 앞과 뒤가 가장 안전했다. 앞이나 뒤에 사람이 없으므로 낙하산이 얽히거나 꼬일 위험이 가장 적기 때문이었다.

공중 낙하산 침투훈련 모습

그다음엔 전체 기수 제103차로 2주간의 특수전 교육에 입교했다. 거기서는 그 당시 중앙정보부 요원들과 같이 교육을 받았다. 교육내용은 요인 납치, 비표를 활용한 모르스 통신, 생존 훈련 그리고 접선 방법 등이었다. 공수부대 출신들은 공수교육과 특수전 교육의 기수를 중시해서 제대 후에 서로 인사를 할 때 계급보다는 공수 기수와 특수전 기수를 가지고 선후배를 가리는 경향이 있다.

공수부대는 여단마다 중점 훈련 분야가 따로 정해져 있었다. 1공수여단은 고공 점프, 3공수는 태권도 그리고 우리 9공수는 무장 구보였다. 그래서 영내에 머물 때는 1주일에 한 번씩 10kg 배낭과 총을 메고 도로와 야산 10km를 뛰었는데, 그 소요시간을 측정해서 전투력의 우열을 가렸다. 그러다 보니 체력이 약한 병 출신 장병들은 무릎 등 몸에 이상이 생겨 후송되기도 했으며, 부대에서는 전투력 향상을 위해 무장 구보 기록을 체크해서 시상을 하기도 하고 포상휴가를 보내기도 했다.

장교 한 명을 포함한 11명이 뛰어서 마지막에 들어오는 사람의 기록을 그 팀의 기록으로 인정했고, 한 명이라도 포기하거나 낙오하면 등외가 되었는데, 대원 중 한 명이라도 낙오할 가능성이 있으면 다른 대원이 군장을 한 개 더 메고 뛰거나 끈으로 매어 대원을 끌고 가기도 했다. 그래서 우리 부대에서는 무장 구보를 못 하면 고문관 취급을 받았고, 신병이 전입해 오면 구보를 잘하는 대원을 받으려고 난리를 쳤다.

한번은 우리 부대 전체 장교 250명을 대상으로 한 장교 종합시험이 있었다. 군사이론과 통신 실습 그리고 군사영어시험이 포함되어 있었다. 그중에서 나는 영어와 통신의 비표 풀이 등에 자신이 있었다. 그런데 뜻밖에도 내가 전체 1등을 하게 되었다. 그 덕분에 3사 출신이었던 지역대장님이 대위에서 소령으로 특진을 하고 중대장님도 지역대장으로 영전을 했다. 그러나 장기 복무도 하지 않을 사람이 일등을 했다고, 3사 출신 장교들로부터 무척 욕을 먹었고 일부 장교들은 내가 하는 일에 일부러 트집을 잡기도 했다. 그 사람들에게 그렇게 큰 영향을 미치는지 몰랐는데 나는 정말 인간적으로 미안함을 느꼈다.

특수전 훈련 및 작전

특전사 요원들은 여름과 겨울에 각각 한 차례씩 특수훈련을 받았다. 매년 여름이 되면 1개월 동안 서해안 몽산포 인근 훈련장에서 해상침투훈련을 실시했다. 해상침투훈련은 해변에서 4km 이상 떨어진 모선에서 고무보트로 갈아타고 육지로 침투하는 훈련이다. 육지로 접근하던 중 적이 출현하면 보트를 뒤집은 후 그 아래에서 숨을 쉬며 숨어 있다가 적에게 발견되면 개별적으로 수영을 해서 육지로 상륙하는 훈련이었다.

모든 대원이 장거리 수영(약 4km 정도)을 하는 것이 기본적 요건이어서 훈련시간 대부분을 수영 훈련에 배정했다. 수영 훈련은 각 대원의 실력에 맞춰 강도 높게 실시되었다. 수영 훈련은 먼저 PT체조를 한 시간 정도 한 후, 수영 유형별로 모래사장에 엎드려 자세 연습을 했다. 그리고 고무보트에 태워 바다로 나가서 물속에 밀어 넣은 후,

두 명이 한 조가 되어 수영 유형별로 연습을 했다. 훈련병들이 힘들어서 고무보트를 잡으려 하면 교관과 조교들이 배 젓는 노로 훈련병들의 머리를 눌러 물을 먹이곤 했는데 한나절에 한 양동이 정도의 바닷물을 먹곤 했다.

해상 침투훈련 모습

거기서는 계급장을 떼고 훈련을 했고 교관 및 조교와 피교육생만 존재했다. 피교육생은 수영 실력에 따라 5단계로 나뉘었는데 최상급의 인명구조반과 A~D반으로 나뉘었다. D반은 앵카반이라고 불렸고 여름 1개월 해상침투 훈련 기간이 그들에게는 지옥 그 자체였다. 전날 저녁 맥주와 통닭으로 교관과 조교를 대접해도 그다음 날 술이 깨고 나면 효력이 없었다.

인명구조반 과정을 수료하면 인명구조 자격증이 주어졌고 다음 해부터는 교관이나 조교가 될 수 있었다. 교관이나 조교가 되고 나면 여름

해상침투훈련은 그야말로 여름 피서였고 가족들도 데리고 갈 수 있었다. 가족들을 위하여 별도의 소규모 텐트를 준비해서 설치해 주었다.

나는 A반 실력은 되었으나 좀 쉽게 훈련을 받으려고 잔머리를 굴려서 B반을 지원해 들어갔다. 첫해 훈련은 그런대로 넘겼다. 나와 BOQ(장교·부사관의 독신 생활 지원을 위해 마련된 주거시설)를 같이 쓰던 친구는 경남대 체육과 단거리 육상 선수 출신이었는데 수영 실력은 형편없어서 첫해 C반에서 고생을 많이 했다.

그런데 그다음 해 그 친구가 빨간 교관 모자를 쓰고 나타나 깜짝 놀랐다. 알고 보니 그 친구는 모교 체육과 아는 사람을 통해 수영 인명구조 자격증을 만들어 온 것이었다. 그 후 그 친구는 내 것 하나를 더 만들지 않았다고 나로부터 원망을 많이 들었다. 나는 그다음 해에는 인명구조반에 들어가려다, 한 번만 더 받으면 제대한다고 생각해서 다시 A반에 들어가서 훈련을 받았다.

여름철 해상침투훈련은 교관과 조교의 비위도 맞추어야 하지만 모기와의 전쟁도 무척 힘들었다. 바닷가 모기는 국방색 군대 모포 석 장을 뚫는 정도였다. 한번 물리면 밤새도록 긁어야 했고 다음 날 아침이면 물린 부위가 통통 부어 있었다. 모기향과 에프킬라도 바닷가 모기 앞에서는 제 위력을 발휘하지 못했다. 그리고 우리는 하의 수영복만 입고 땡볕에서 종일 훈련을 받았기 때문에 훈련 초기에 온몸이 햇볕에 타 허물이 벗어지고 진물이 흘러서 저녁에 똑바로 누워 잘 수가 없었다. 그러나 훈련이 끝나 부대로 복귀할 때쯤에는 상처가 다 나아서 얼룩얼룩 흉터만 남게 되었다. 바닷물이 소독을 해주어서 그런지 크게 덧나지는 않았다.

여름에 해상침투훈련이 있다면 겨울에는 동계훈련인 천리행군이 있었다. 천리행군은 말 그대로 일주일 동안 일천 리(400km)를 걸으면서 여러 가지 작전을 하는 훈련이었다. 저녁 해가 질 무렵이면 시설 폭파 등 작전을 하고, 밤새도록 뛰고 걸어서 새벽녘에 안전지대에 도착한 후, 땅(비트)을 파고 들어가 눈이나 낙엽을 덮고 낮에는 잠을 잤다.

주로 강원도 북한 접경 지역에서 훈련을 했는데 강원도의 겨울은 유난히 추웠고 눈도 많이 왔다. 눈이 왔을 때는 방한복을 뒤집어 입으면 흰 스키복이 되었다. 정오를 지나 내가 먼저 일어나서 보면 대원들 몸은 눈으로 덮여 있었는데 숨 쉬는 얼굴 부위만 눈이 녹아서 머리 부분임을 알 수 있었다. 얼어 죽지는 않았나 하고 대원들을 발로 툭툭 차 보면 모두 꿈틀거려서 안심을 하곤 했다.

이처럼 초저녁부터 새벽까지 들과 산길을 걷다 보면 군화는 꽁꽁 얼고 두 켤레씩 신은 양말 속의 발에는 땀이 났다. 새벽에 숙영지에 도착해서 군화를 벗으면 군화와 양말은 얼어붙어서 맨발만 쏙 빠지기도 했다. 장시간 이동으로 발에는 온통 물집이 잡혔는데 그대로 걸으면 통증이 심해서 바늘에 실을 꿰어서 물집을 터트린 후 다시 걸었다. 숙영지에 도착하여 몸을 녹일 때는 꽁꽁 언 손발을 바로 불에 대지 않도록 지대원들에게 주의를 주곤 했다. 그래도 훈련을 마치면 손발이 동상에 걸린 대원들이 생겼고 안전수칙을 안 지킨 대원들은 발가락이 시커멓게 썩어서 신체 일부를 절단하는 경우도 있었다.

우리 지대원들 중 부사관 출신들은 학력도 평균 중졸 정도로 낮았고 입대하기 전에 주먹깨나 썼거나 부모님 속을 썩인 사람들이 더러 있었다. 그들은 대부분 지원을 해서 모병으로 특전사에 들어왔고, 체력도 좋고 깡다구도 대단했다. 우리 지대원들도 휴가나 외출을 나가면 술을 먹고 싸움을 하는 등 사고를 치는 사람들이 있었다. 경찰서나

헌병대에서도 특전사 대원들은 고생을 많이 한다고 해서 큰 사고가 아니면 자체적으로 해결하도록 부대로 사건을 이첩했고, 부대 내에 있는 영창을 사는 것으로 처벌을 대신하곤 했다.

또 하나 골칫거리는 사병들의 성병 관리였다. 사병들이 실수로 성병에 걸려오면 부사관들이 의사 처방전 없이도 약을 구해 오거나 중대마다 의무병이 한 사람씩 있어서 주사를 놓기도 했다.

우리 부대 부사관들의 특기는 아주 다양했다. 훈련 중 시골 가게에 들어가면 한두 명의 대원이 주인의 혼을 빼는 사이 다른 대원들이 배낭에 빵, 과자 그리고 소주까지 왕창 쓸어 담아 왔다. 한 대원은 집에서 양계장을 했는데 지도상에 양계장이 나타나면 닭 날개 밑에 손을 넣어 아무 소리도 나지 않게 몇 마리를 서리해 왔다. 그리고 저수지를 지날 때는 TNT 폭약에 뇌관을 넣어 터뜨리면 물기둥이 높게 솟으면서 붕어, 쏘가리 등 커다란 물고기가 하얗게 물 위로 떠 올랐다. 그러면 수영 잘하는 대원들이 물에 들어가 자루에 담아 와서 매운탕을 끓여 먹기도 했다.

뱀을 잡아서 구워 먹기도 하고 소음총으로 노루를 잡아먹기도 했다. 많이 지쳤을 때는 트럭을 빌려서 낮에 미리 이동하기도 했는데 조교와 교관들이 알고 미리 기다리고 있는 경우도 있었다. 그때는 그것이 생존방법이기도 했고 북한에 침투하더라도 필요한 훈련처럼 느껴졌다.

지대원 중 최고 졸병이 지대장 부관이었다. 평소 부대에 있을 때는 지대장 군화도 닦고 심부름도 했다. 그리고 훈련 나가면 새벽 숙영지에 도착 시 반합에 라면을 하나 끓여 주었고 식사 시 필요한 김치, 고추장 등 부식을 별도로 챙겨 다녔다. 나는 그 친구들이 늘 고마웠고 잘 챙겨주려고 노력했다. 공수부대에서는 낙하산을 타기 때문에 월별로 봉급 외에 생명 수당이 별도로 나왔다. 그런데 그 생명수당 액수가 계급별로 달랐다. 병들은 7천 원, 부사관은 1만 7천 원 그리고 장교들은 4만 원 정도 되었다. 그 당시 소위 봉급이 13만 원 정도였으니 액수가 적은 것은 아니었다. 부사관들은 계급에 따라 목숨값도 다르다면서 불만을 나타냈고 장교들은 아니꼬우면 장교로 오지 그랬냐고 약을 올리곤 했다.

1979년에는 부마사태를 비롯하여 유난히 민주화 시위가 많았다. 공수부대의 주요 임무 중 하나가 사회질서를 문란케 하는 격렬한 시위를 진압하는 것이었다. 그래서 만약의 사태에 대비해서 시위 진압 훈련을 평소에 받았다. 그해(1979년) 10월부터는 민주화 시위가 더욱 심해져서, 우리 부대원들은 비상근무에 돌입했다. 결혼한 영외 거주자에게 영내 거주 명령이 떨어졌고, 주말 외출·외박도 금지되고 저녁에도 군화를 신고 잠을 잤다.

이러한 비상사태가 장기화하자 부대원들의 불만이 고조되었다. 이렇게 비상대기를 하던 중 10월 26일 저녁 9시경 긴급비상이 발동되어 우리 부대원 전원이 육군본부로 이동했다. 비상 발동의 사유와 단위부대별 임무에 대하여는 별도의 설명이 없었다. 우리는 육군본부 정문 부근 강당에서 대기 상태로 밤을 지새웠다. 새벽 4시경 소집 명령이 발동되고 강당 앞에 부대원 전원이 집합했다. 부대원들이 집합하자 여단장께서 "박정희 대통령께서 서거하셨다."라고 하면서 모두 묵념을 하자고 했다. 우리 모두 묵념을 하고 고개를 들자 여단장님의 눈에는 눈물이 흘러내렸다. 그때 육군참모총장이 육군본부에 계셔서 우리 여단은 육본 외곽 경계를 하다 보안사령부의 명령을 받고 부대로 복귀했다.

그 후 12·12사태가 발생하고 군부가 정권을 장악했다. 그리고 해가 바뀌고 광주민주화운동과 더불어 비상계엄이 선포되었다. 우리 부대는 서울대 관악캠퍼스에 베이스캠프를 설치하고 계엄 업무를 수행했다. 그 당시 서울대 관악캠퍼스는 새로 지어져서 강의실, 기숙사, 식당, 교수회관 등이 깨끗하고 잘 정비되어 있었다.

장기간 부대 내 비상대기로 독기가 오른 부사관 대원들은 서울대생들이 훌륭한 시설에서 공부는 하지 않고 데모를 한다고 몹시 흥분하기도 했다. 학생들과 교수 및 교직원들을 운동장으로 불러내어 얼차려를 주고 말대꾸를 하거나 대드는 사람들에게는 무차별 폭행을 가하기도 했다.

우리 부대원들이 상대적 박탈감으로 갑작스러운 폭력성이 발동될 때는 통제가 잘되지 않았다. 그럴 때일수록 우리 ROTC 장교들의 역할이 중요했다. 흥분한 부대원들을 진정시키고 그 시위 학생들도 우리 친구이며 동생이고 가족이라는 것을 이해시키려고 노력했다.

그때 학생 중에도 골수들이 있었는데 반항하고 대들다가 목숨을 잃기도 했다. 나는 그때 집이 봉천동이라 군복을 입고 권총을 차고, 사회 친구들과 식당에 들러서 식사나 술을 한잔하면 식당 주인들이 돈을 받지 않으려고 했다. 고생한다고 그런 것 같지는 않고 약간 겁을 먹어서 그랬던 것 같았다. 그러나 음식값은 반드시 지불했다.

1980년 6월 말이 되자 광주민주화운동도 어느 정도 진정되었고 우리 동기들은 그해 6월 30일 서울대에서 28개월 복무를 마치고 전역을 했다. 비상계엄상태이고 광주 상황도 심각해서 제대가 연기된다는 얘기도 나돌던 터라 우리는 다행으로 여기고 전역을 했다. 우리 동기 중 한 명인 박해석은 장기 복무를 지원해서 계속 군 복무를 하게 되었는데 전역하는 우리를 몹시 부러워했다. 우리는 그 친구를 격려했고 나는 ROTC 반지를 빼서 그 동기에게 주었다.

제 6장

공무원 생활 첫발 들이다

공무원 시험공부를 시작하다

내가 전역을 하기 직전에 5·18 광주민주화운동이 발발하여, 전역을 하던 6월 말에도 나라 전체가 비상계엄하에 있었다. 그렇다 보니 우리 경제도 한 치 앞을 내다볼 수 없는 상황이어서 기업들은 신규채용을 하지 않았고, ROTC 전역자 우대 채용계획도 없었다. 우리 동기들은 대부분 취업이 결정되지 않는 상태로 전역을 했다. 나는 진로를 고민하던 중 전공과 관련 농협에 들어갈까 하는 생각도 했으나 가족들과 상의한 결과 공무원 시험을 보기로 했다.

처음 공부를 시작할 때는 군인정신으로 철저하게 시간 관리를 했다. 하루 12시간을 공부하기로 정해놓고 새벽 3시에 기상하여 아침식사 전까지 3시간, 아침식사 후 점심 전까지 3시간, 점심식사 후 저녁 전까지 3시간, 저녁식사 후 취침 전까지 3시간을 공부했다. 처음에는 집에서 공부를 하면 정신집중이 잘 안 되었기 때문에 집 근처 독서실을 이용했다.

군에 있을 때도 영어는 영자신문을 보는 등 꾸준히 공부를 해두었고 경제학 등 몇 과목은 대학 시절 강의를 들었지만 시험과목 중 행정법, 민법, 헌법 등 법 과목은 상당히 생소했다. 그래서 법 과목은 서울 종로에 있는 공무원 학원에서 강의를 들어야 했다. 1차 시험은 객관식 다섯 과목이고, 2차는 주관식 일곱 과목이었다. 1차 시험은 한번 합격하면 그다음 연도까지 유효하여 그다음 해에는 2차 시험만 볼 수 있었다.

나는 암기과목이 좀 약하고, 응용과목이나 수리과목에 상대적으로 자신이 있었다. 그래서 2차 시험과목보다는 1차 시험과목에 치중해서 준비를 했다. 1차 과목 중 나에게 가장 어려운 건 국사였다. 국사에서 과락을 면하고 최소한의 기본점수를 받기 위하여 내 나름의 방법을 생각해 냈다. 이제까지의 국사 기출문제를 다 구해서 국사책 앞 목차와 책 내용에 표시를 하기 시작했다. 그런 가운데 일정한 법칙을 발견했다. 중요한 부분은 2~3년 주기로 반복 출제되고 있었다. 그 부분을 100개 정도 발췌해서 집중적으로 공부를 했는데, 내 예상이 적중되어 국사 공포증에서 벗어날 수 있었다.

주관식은 전체 맥락을 파악하고 유지하는 것이 중요해서 책을 사면 먼저 책 앞부분 목차부터 암기했다. 책을 펼 때마다 목차부터 한번 보고 전체 내용 중 그날 공부할 부분을 공부했다. 그리고 행정법, 행정학, 경제학 등은 내용을 요약하여 내 목소리로 녹음을 한 후 산책할 때나 여행할 때 수시로 들었다. 한 과목당 한 시간짜리 테이프 열 개 정도로 함축을 해서 들으면, 하루에 한 과목을 1회독 할 수 있는 장점도 있었다.

그렇게 시험 준비를 해서 1982년에 1차 시험에 합격을 했으나 2차 시험은 준비가 덜 되어 참가하는 데 의의를 두었다. 1983년에는 2차 시험만 볼 수도 있었으나 1차 시험도 보고 2차 시험도 보았는데 1차는 다시 합격을 하고 2차는 또 실패했다. 그리고 1984년에는 2차 시험에 올인했고 운이 좋아서 2차, 3차 시험에 모두 합격을 했다.

1차 시험 경쟁률은 50대 1 정도 되었고, 2차 시험은 5대 1 정도 되었다. 1차 시험에 합격해야 2차 시험도 볼 수 있으므로 1차 시험 합격이 매우 중요했다. 2차 시험 위주로 공부를 하다가 1차 시험에 매번 떨어지는 사람들도 있었다. 1차 시험 응시자가 매년 1만 명 정도 되었는데 나는 그중 100명 안에 드는 행운을 잡은 것이다. 시험 시행계획 공고는 총무처에서 매년 초 서울신문에 하였고 1·2·3차 합격자 발표도 서울신문을 통해서 하였다. 그래서 합격 여부를 확인하기 위해서는 발표 당일 새벽에 서울신문을 구하러 나서야 했다. 그때는 인터넷이 발달하지 않아서 일일이 신문을 보고 합격 여부를 확인했다.

처음 공무원 시험 준비를 시작할 때 나는 봉천동 집 근처 독서실에서 공부했다. 거기서 여러 과목을 두루 1회독을 한 다음 그 후 여러 곳으로 옮겨 다니면서 공부했다. 가장 먼저 아는 사람의 소개로 경기도 광주의 고시촌에 들어갔다. 거기서 1년 정도 공부를 하면서 세상일에 관심을 끊고 외출을 자제하고, 공부에 몰입하기 위해서 머리를 삭발했다. 그리고 식사 후 산책 시에는 맨발로 나무 지팡이를 짚고 다녀서 도사(스님)처럼 보이기도 했다.

그해 어느 여름날 저녁식사 후 산기슭 오솔길을 산책하던 중 갑자기 등골이 오싹해지는 것을 느꼈다. 오솔길에는 풀이 소복하게 자라고 있었고 왼발을 딛고 오른발을 옮기려는데 발밑에 뱀이 한 마리 동그랗게 똬리를 틀고 있었던 것이다. 나는 너무 놀라서 풀쩍 뛰어넘어

지나왔으나 등허리에 식은땀이 흘렀다. 그다음부터는 맨발로 야외에 다닐 때는 지팡이로 먼저 풀을 툭툭 치면서 다녔다.

삭발을 하고 공부하던 시절

같은 집에 여러 고시생이 오래 머물다 보면 서로 친해져서 정보도 교환하고 저녁에는 막걸리도 한 잔씩 하게 되었다. 그러나 그런 기회가 많아지면 공부에 방해가 되고 잡념을 갖게 되기도 했다. 그 때문에 나는 경기도 광주 고시촌에 1년 정도 있는 동안 고시생들과 일정 거리를 유지하기 위해 하숙집을 세 차례 옮겨 다녔다.

그곳에서 같이 공부했던 사람 중 많은 사람이 사법고시와 행정고시에 합격을 해서 행정 분야와 사법 분야에 근무하면서 서로 연락을 하고, 만나면 공부하던 그 시절 얘기를 나누곤 했다. 거기서 공부할 때 전직 교장 선생님 댁에서 몇 개월 있었는데 사모님이 아침 식사는 꼭 녹두죽을 끓여 주셨다. 처음 며칠은 맛도 좋고 속도 편했지만 얼마 지나지 않아 곧 물렸다. 그때 음식 중에 밥이 매일 먹어도 싫증 나지 않는 제일 좋은 음식이라는 것을 뼈저리게 느꼈다.

그다음 1982년에는 우리 고향으로 자리를 옮겼다. 시골에 빈집이 하나 있어서 사법고시 공부를 하던 같은 마을 선배 형과 같이 밥을 해 먹으면서 공부했다. 어머니가 반찬도 해주시고 챙겨주셔서 마음 편하게 공부에만 집중할 수 있었다.

시골에서 공부를 할 때 이웃집에서 중매가 들어왔다. 어머니는 공부를 하더라도 결혼부터 하라고 종용하셨다. 나는 부담스러워 다음에 보겠다고 했으나, 그 아가씨를 앞집에 데리고 와서 선을 한번 보고 서로 좋으면 기다리도록 하면 된다고도 하셨다. 그 아가씨는 청송에서 출생하고 자랐으며 고등학교를 졸업했는데, 덩치도 크고 마음도 넓어서 맏며느릿감이라고 어머니가 좋아하시는 듯했다. 일단 결혼은 시험이 끝난 후에 생각하겠다고 내가 강경하게 밀어붙여서 우리 인연은 그것으로 끝났다.

그리고 1차 시험에 합격을 하고 2차 공부를 하면서 서울대 행정대학원에 입학했다. 그 당시 서울대 행정대학원은 일반대학원으로 재학 중에 많이 합격해서 행정대학원 입학을 하면 행시의 경우 절반 합격한 것처럼 여겨지고 있었다. 그리고 대학원에서 학생들과 정보교환도 하고, 교수님 중에 출제위원들이 많아서 수업도 열심히 들었다.

나는 등하교 시간을 절약하기 위해 숙소를 신림동 고시촌으로 옮겼다. 그때 같은 집에서 10여 명이 하숙했는데, 주인 왈, 처음에 하숙집에 들어와서 공부하는 습관을 보면 바로 합격할 사람과 영영 합격하지 못할 사람이 구분된다고 했다. 친구 결혼식 다 다니고 여자친구다 만나고, 주말이면 속세에 내려가 술 마시는 사람들은 죽었다가 깨어나도 합격을 못한다는 것이었다.

군에 있을 때 같이 근무했던 친구의 소개로 현재의 아내를 만나오고 있었다. 그 친구의 여자 친구의 친구였다. 내가 제대 후 공부를 시작하고 그녀와 나는 한동안 만나지 못하다가 어느 날 그 친구 내외로부터 연락이 와서 다시 만나기 시작하였고, 그녀가 공부하는 곳으로 음식을 만들어 오기도 했다. 그해 크리스마스에 그녀가 음식을 해서 찾아왔다. 분위기 좀 잡다가 그만 사랑을 나누게 되었다. 우리는 실수를 하면 결혼을 해야 하는 것으로 생각했다.

우리는 그다음 해 11월 간소하게 결혼식을 올렸고 1984년 4월 큰아들 준석이가 태어났다. 그 후 나는 서울 관악구 신림동에서 막바지 공부를 해야 했기 때문에 아내는 시골 어머니 댁에서 준석이를 데리고 1년 정도 지냈다. 서울 색시가 시골에 가서 아이를 하나 데리고 신랑도 없이 시어머니 모시고 생활하느라 고생을 많이 했다.

1984년은 나에게 특별한 의미가 있는 해다. 큰아들을 얻었고 공무원 시험 2, 3차를 모두 합격했기 때문이다. 2차 합격자를 발표하는 날은 신문 가판대에 미리 가서 서울신문이 도착하기를 기다렸다. 서울신문을 사서 펴는 순간 가슴이 두 근 반, 세 근 반이었다. 합격자는 100명으로 내 수험번호와 이름도 인쇄되어 있었다. 나는 미칠 듯이 기뻐서 같이 살던 작은아버지 내외분께 먼저 알리고 시골 어머니와 처가에도 합격 소식을 전했다.

공무원 교육과 수습

1984년 말 공무원 시험 3차 시험까지 합격한 다음, 임용후보자 등록을 했다. 그리고 면 소재지 삼거리에 축하 플래카드가 내 걸리고 고향 마을에서 조그맣게 축하잔치를 열었다.

공무원 시험에 합격하면 6급 이하는 6개월, 5급은 1년 동안 시보 기간을 거친다. 시보(試補)란 말 그대로 시험 삼아 보직을 부여해서 잘 적응하는지, 공무원으로서 기본적인 자질은 갖추었는지 테스트하는 기간이다. 이 기간에 공무원으로서 자질이 떨어지거나 적응을 못하는 면이 발견되면 임용되지 않을 수도 있다. 사실 아주 특별한 하자가 없는 한 대부분 임용이 되지만 임용 대상자 입장에서는 불안해서 최선을 다하게 되어 있다. 이 시보 기간은 크게 중앙공무원교육원 교육 4개월, 지방자치단체 수습 3개월 그리고 소속 중앙부서 수습 5개월로 나누어진다.

중앙공무원교육원에서는 정신교육과 공통 전문교육을 받는데, 교육이 끝난 후 시험성적과 교육원 교육성적 그리고 군 복무 가점까지 합하여 전체 임용후보자의 서열을 매겼다. 군가점은 현역 근무자의 경우 전체 성적의 3%를 더해주었는데, 5급 공무원 시험의 경우 합격 결정에는 반영하지 않았고 부처 결정에만 인정해 주었다. 1984년 5급 시험 합격자는 100명이었으나, 교육을 같이 받은 사람들은 104명이었다. 우리 교육 동기들의 모임을 백사회(白獅會:흰 사자 모임)라 이름 지었다.

104명의 중앙공무원교육원 교육동기

그리고 중앙공무원교육원 교육을 마친 후 전체 성적 서열에 따라서 근무할 부서를 선택했다. 각 중앙부서로부터 그다음 해에 필요한 사무관 수를 받아서 칠판에 적었다. 그리고 성적 1번부터 희망 부처를 선택했다. 그러면 1번이 선택한 부처의 수는 하나를 제하고, 2번이 다음 부처를 선택하는 식이었다. 성적이 뒷순위인 사람들은 밀려서 자기가 원하는 부처에 못 갔다.

나는 전체 순위가 13위여서 선택의 여지가 있어서 망설임 없이 내무부를 선택했다. 그 당시 경제부처가 다소 인기가 있었는데 내무부는 30위 안에는 들어야 가능했다. 내무부 희망자는 나를 포함해 13명이었는데 그때는 중앙정부에서 시장·군수를 임명하던 때라 촌놈들에게는 그 직위가 선망의 대상이었다.

그런 다음 우리는 지방자치단체로 수습을 하러 갔다. 근무하고 싶은 시·도를 신청을 받아 균형 있게 배분했다. 대부분 자기 고향이나 부모님 고향을 선택했다. 나는 고향이 포항이라 경북에 올 수도 있었으나 경북에는 신청자가 많았고 나는 군 생활을 인천시 부평구 부평동에서 하면서 군 사택을 지어놓은 것이 있었으며 결혼을 해서 가족들도 있어서 인천시에서 수습을 하기로 했다. 동기들 다섯 명이 인천에서 같이 수습을 했는데 고향이 인천인 사람도 있었고 서울에 집이 있어 수도권에서 머물고자 선택한 사람도 있었다.

우리는 인천시청 본청과 북구청 그리고 부평동 사무소까지 단계별로 기간을 정하여 일반 직원들과 어울리면서 지방행정을 체험했다. 9급으로 공직생활을 시작한 사람들은 우리를 부러워했고, 우리에게 행정 실무와 경험을 많이 가르쳐 주려고 했다. 나는 기혼자라서 더 쉽게 직원들과 어울리고 대화를 나눌 수 있었다. 우리는 직원들과 점심 식사도 같이하고, 저녁이면 술자리도 종종 함께했다.

지방 수습을 마친 다음 마지막으로 자기가 근무하게 될 중앙부처에서 중앙수습을 했다. 우리 내무부 동기 13명은 5개월 동안 정부서울청사 내무부 각 실·과에 배치되어 수습을 했다. 나는 지방행정국 지도과와 지방재정국 재정과에서 근무를 했다. 지도과에서는 주민등록과 행정 전산 업무 등을 배웠고, 재정과에서는 지방교부세 제도와 지방

예산 등에 대해 배웠다.

내가 내무부 재정과에 수습할 때 둘째 아들 남규가 태어났다. 재정과 직원들이 그 사실을 알고 아이 이름을 지을 사람을 소개해 주면서 정중하게 부탁하고 저녁에 소주 한 잔 사라고 했다. 그분은 바로 내 옆에 근무하던 7급 주무관이었다. 내가 정중하게 부탁을 하자 박남규(朴南奎)란 이름을 지어 주었다. 나중에 알았지만 그분이 그 분야에서 꽤 유명한 분이었다.

이렇게 기본교육, 지방 수습, 중앙 수습 1년을 마치고, 1985년 3월 시보 딱지는 떨어지고 나는 정식 사무관으로 임용되었다. 그 당시 내무부 발령을 받은 사무관들은 의무적으로 일단 지방으로 발령을 받아야 했는데, 나는 권영수 동기와 지방사무관으로 바꾼 후 경북도청으로 내려왔다. 그 당시 경북도청이 대구시에 있어서 나는 가족들을 데리고 대구로 내려와 자리를 잡았다.

제 7장

경북도청 공직생활 I

직장 예비군 중대장을 맡다

지방자치단체에서는 고시 출신들이 발령받아 내려오는 것을 별로 환영하지 않았다. 5급으로 한 명이 내려오면 9급이나 7급에서 승진할 수 있는 자리가 없어지기 때문이었다. 5급 계장 자리가 비면 6급에서 5급으로 승진 한 명, 7급에서 6급으로 승진 한 명, 8급에서 7급으로 승진 한 명, 9급에서 8급으로 승진 한 명 등 네 명이 단계적으로 승진할 수 있다. 그런데 5급 고시 출신들이 내려와서 그 자리를 차지하면 그것으로 끝이었다.

그래서 비고시 출신 공무원들은 고시 출신이 내려오는 것을 반대했고 지방에서는 고시 출신들을 받더라도 그 수를 최소화하려고 했다. 그래서 비고시 직원들의 불만을 줄이기 위해 고시 출신 사무관들이 발령받아 오면 도청에서 1년 이상 대기시킨 후 발령을 내거나, 시·군에 보내어 1년 정도 근무하게 한 후 다시 도청으로 발령을 내기도 했다. 고시 출신들의 첫 번째 시련은 여기서부터 시작되었다.

나는 1986년 3월에 경북도청으로 내려와 총무과에 대기하던 중 예비군 중대장을 해보지 않겠느냐는 제안을 받았다. 어차피 대기하는 것이고 그거라도 맡으면 직원들도 사귀고 직장 분위기도 쉽게 익힐 수 있을 것 같아 흔쾌히 맡았다. 그 당시 경북도청의 예비군 대원은 300명가량 되었으며 중대본부 사무실도 별도로 마련되어 있었다. 중대본부에는 직원 두 명이 배치되어 있었고 중대장 정보비도 매월 5만 원 별도로 지급되었다.

경북도청 직장예비군 중대장 임명장 수여

그 당시에는 예비군훈련 시간도 많았고, 훈련 강도도 높았으며 규율도 엄격했다. 그래서 예비군 복무규정을 어기거나 훈련 불참자들은 엄격하게 문책을 했다. 내가 사무관 발령을 받아 경북도에 내려왔을 때 육사 출신 사무관(유신 사무관)들도 몇 사람이 먼저 내려와 근무를 하고 있었다. 내 앞에는 육사 출신 사무관들이 예비군 중대장을 기수별로 맡아왔었다. 그래서 내가 예비군 중대장을 맡자 내가 육사 출신이라고 생각한 직원들이 많아서 자기들끼리 육사 출신이다 아니다 내기를 하기도 했다고 한다.

그 당시 경북도청 직원들 수가 2,000명 정도 되었는데 신임 사무관이 와서 나름대로 존재감을 좀 나타내려면 최소 5년에서 10년 정도 걸렸다. 그런데 나는 예비군 중대장을 맡는 바람에 젊은 직원 300명을 하루아침에 부하(?)로 두게 되어, 많은 직원을 빨리 사귈 수 있었다. 고생은 했으나 그 덕은 톡톡히 보았다. 내가 다른 사무실에 일을 보러 들어가면 예비군 대원들이 일어나 나에게 "단결!"하고 인사를 하고, 자기들이 알아서 일을 처리해 주곤 했다.

예비군 중대장을 1년 반 정도 맡으면서 기억에 남는 사건 두 가지를 소개하고자 한다. 우리 도청 예비군 대원들이 부대에 들어가서 훈련을 받는 날에는 훈련을 마친 후 도청 근처 술집에 와서 뒤풀이를 하곤 했다. 그날도 몇몇 예비군 대원들이 도청 근처에서 뒤풀이를 했다. 한 짓궂은 대원이 빈 맥주병에 소변을 받아서 따라주었는데, 그걸 나누어 마신 것이었다. 맥주에 소변 냄새가 나는 듯하다는 사람도 있었으나, 모두 술에 취해서 그대로 마신 것이었다. 그래도 배탈이 나거나 부작용이 없었던 것을 보면 군복을 입으면 사람 취급을 못 받아서 아무 문제가 없었던 것일까? 지나고 나면 추억이지만 그때 중대장이었던 나는 가슴을 한번 쓸어내려야 했다.

그리고 그때는 북한의 간첩 침투가 잦아서 지역방위 훈련이 자주 실시되었다. 무기고도 도청 본관 뒤에 있었고 실제 총기와 실탄도 비치되어 있었다. 훈련을 시작할 때 총기 수를 세어 대원들에게 나누어 주었다가 훈련이 끝나면 총기 수를 철저히 확인해서 반납을 받았다. 총기 반납까지 무사히 끝나야 훈련이 종료되었다.

하루는 '독수리훈련'을 새벽녘에 마치고 총기 수를 확인하면서 반납을 받았는데 총기 1정이 부족한 것이었다. 전체 대원들이 집 나간 총기 1정을 찾기 위해 사방팔방 헤집고 다녔으나 찾질 못했다. 훈련 중 총기를 잃어버리면 큰일이다. 전쟁 중이라면 사형감이다. 걱정을 하던 중 전체 대원을 집합시켜서 인원 파악을 했는데 한 명이 부족했다. 그 대원의 소재를 파악해 보니 자기 총을 사무실 캐비닛에 넣어두고 집에서 자고 있는 것이었다. 그 직원은 원래 술을 한 잔도 못 하는데, 그날은 술을 한잔해서 저지른 실수였다. 그 대원을 불러 총기를 반납하고 훈련은 마쳤으나 그 후 그 직원은 고문관으로 낙인찍혀서 우리 도청 예비군 대원들의 입에 오래도록 오르내렸다.

법무담당관실 근무

나는 예비군 중대장을 맡는 바람에 시·군에도 내려가지 않고, 도청에 온 지 4개월 만에 법무담당관실 송무계장으로 첫 보직을 받았다. 그 후 나는 1년 정도 예비군 중대장을 겸직하며 근무를 했다. 예비군 중대장을 자진해서 흔쾌히 맡은 것이 괘씸?해서 나에게 본청에 보직을 빨리 준 것 같았다.

우리 행시 출신들은 정통 코스가 법무담당관실에서 계장으로 시작하는 것이었는데 나는 운이 좋아 법무담당관실에서 공직을 시작하게 되었다. 법무담당관실의 업무는 크게 2가지로 구분되었다. 하나는 자치법규를 제정하거나 법령 자문을 하는 법제 업무이고, 또 다른 하나는 행정심판과 소송을 수행하는 송무 업무였다. 과장을 비롯한 법무담당관실 직원들은 대부분 고시 출신이거나 대학에서 법학을 전공한 사람들이었다.

나는 첫 보직으로 송무계장을 맡아 3년간 근무를 했다. 업무도 재미있고 부서 분위기도 좋아서 언제 그렇게 시간이 지나갔나 생각할 정도였다. 그리고 바로 옆자리 법제계장으로 옮겨 9개월을 더 근무했다. 그리고 1995년에는 법무담당관(과장)으로 첫 과장 보직을 받아 6개월 근무를 했으니, 법무담당관실에 근무한 총기간이 4년 3개월이나 된다.

내가 공직생활을 처음 시작했고 또 오랜 기간 근무를 해서, 지금도 여러 부서 중에서 법무담당관실이 가장 애착이 가고 친정처럼 느껴진다. 내가 법무담당관실에서 계장으로 근무하는 동안 몇 분의 과장님들을 모셨는데 그중 울진이 고향이신 이 과장님이 나의 멘토셨다. 그 분으로부터 많은 것을 배웠고 지금까지 내가 모신 분 중에 가장 존경하는 분이다.

그분은 직원들에게 늘 존댓말을 하셨고 기안문도 상세히 보시면서 주민들이 쉽게 이해할 수 있는 용어로 고쳐주곤 하셨다. 주로 구내식당에서 식사를 하셨고, 출장을 다녀오셔서 출장비가 남으면 반납을 하셨다. 처음에는 직원들이 당황해하기도 하고 쫀쫀하다고 촌평을 하기도 했다.

그러나 그분의 처신은 우리 후배 공무원들의 표상이었고, 우리 공직사회가 나아가야 할 방향을 미리 제시해 주신 선구자셨다는 생각이 든다. 그리고 그때 과장님께서는 부모가 없는 어린 여자아이를 입양해 키우셨는데, 잘 자라야 할 텐데 하시면서 걱정을 하곤 하신 기억이 난다.

법무담당관실 송무계장으로 근무하고 있을 때 시내 공무원 학원으로부터 행정법 강의를 좀 해달라는 제안이 들어왔다. 행정법은 공무원 시험 준비를 할 때 공부도 했고 법무담당관실 업무와도 밀접하게 연관되어 승낙을 했다. 평일에는 2일 정도 일과 후 두 시간 정도, 그리고 필요시 토요일에는 오후 몇 시간씩 강의를 했다. 그 당시 공무원 시험 준비를 하는 수강생 수가 많았는데, 어떤 때는 수백 명이 넘는 경우도 있었다. 그리고 그 당시에는 6급에서 5급으로 승진하려고 하면 의무적으로 시험을 보아야 했는데, 행정법은 필수과목이었다. 이 때문에 경북도청과 대구시의 6급 공무원들이 그룹을 만들어 승진 시험공부를 했으며 그 숫자가 많았다. 내가 그 사람들에게 몇 차례 강의를 했는데, 그들이 나를 직장에서는 늘 선생님이라 부르며 대우를 해주었다.

내 강의를 들은 사람들이 7급 공무원 시험과 5급 승진 시험에 합격하는 사람들이 늘어남에 따라, 나는 수험생들 사이에 명강사로 입소문이 나고 학원가에서 유명세를 타기 시작했다. 학원 강사료도 꽤 많이 받았고 학원 측으로부터 특별대우를 받았다. 그 후 내 강의자료로 행정법 수험서를 편집 발간하자는 제안도 받았으나, 현직 공무원으로서 적절하지 못한 것 같아서 거절했다.

그 후 대구·경북 지역의 몇몇 대학으로부터 강의 요청이 들어왔고, 회사의 허가를 받아 겸임교수의 자격으로 여러 차례 강의를 하기도 하였다. 수입은 봉급 못지않게 짭짤했으나 가계에는 도움이 되지 못하고 직장동료 및 친구들과 술 마시는 데 모두 소비를 해서 아내에게 늘 미안했다. 강의가 가장 확실한 자기 공부라는 말이 있다. 내가 이렇게 행정법을 처음부터 끝까지 강의한 횟수를 세어보니, 100회는 훨씬 넘는 듯했다. 그렇게 법무담당관실에서 근무하고 강의를 한 것이 나의 확고한 전문분야가 되었고 외부에도 알려져서, 친한 판사들도 판결문을 쓰면서 나에게 문의를 하곤 했다.

그리고 법무담당관실에서 근무하면서 우리 선조들의 지혜가 담긴 명판결 사례를 하나 알게 되었는데 송무 및 법제 업무를 보는 동안 내내 가슴에 새기고 실천하려고 노력했다. 그 내용은 다음과 같다.

조선시대 같은 마을에 목수와 미장이가 살고 있었고 그들의 하루 일당은 각각 1냥이었다. 하루는 목수가 일하고 오다가 3냥이 든 돈주머니를 잃어버렸다. 그 소식을 듣고 미장이도 나서서 돈주머니를 같이 찾기 시작했는데 3일 만에 미장이가 목수가 잃어버렸던 돈주머니를 발견해서 목수에게 건네주려고 했다.

그런데 여기서 문제가 발생했다. 목수가 "그 돈주머니를 찾느라 당신(미장이)이 3일 동안 일을 못 했으니 그 돈은 당신이 가져야 한다."라고 주장한 것이다. 그러자 미장이는 "그 돈은 원래 당신이 잃어버렸던 것이기 때문에 목수 당신이 받아야 한다."라고 주장했다. 그래서 쟁송 거리가 되고 말았다.

그 사건을 담당하게 된 재판장도 이런 사건은 처음이라 깊이 고민을 하다가 자기 주머니에서 1냥을 꺼내어 목수와 미장이에게 각각 2냥씩을 나누어 주는 판결을 하였다.

이 판례는 세 사람 모두가 1냥씩 손해를 보는 상대방 입장을 고려하고 배려하는 명판결로 전해져 내려오고 있다. 오늘날도 이런 사례가 많았으면 한다.

지역경제계장, 확인평가계장

1990년 4월경 지역경제국 주무계장인 지역경제계장으로 근무하던 분이 총리실로 발령이 났다. 당시 지역경제과장인 엄이웅 과장님께서 나를 그 자리에 강력하게 추천해 주어서 나는 지역경제국 주무계장으로 자리를 옮기게 되었다. 국(局) 주무계장은 평정을 잘 받을 수 있어 승진 대상자들이 선호하는 자리인데도 신참 사무관인 내가 그 자리로 옮기는 행운을 잡은 것이다.

국 주무계장은 국장님과 과장님을 직접 보좌하면서 각종 회의, 출장, 경조사, 판공비와 정보비까지 세세하게 챙겨야 했다. 국장님과 과장님보다 먼저 출근하고 늦게 퇴근을 했다. 국 전체 직원들의 평정과 표창, 국을 대표해서 각종 의사결정에 참여했다.

지역경제계장으로 1년 4개월 동안 근무하면서 기억에 남는 사건이 하나 있다. 중동의 걸프만에 전쟁이 발발한 것이다. 걸프전은 이라크의 쿠웨이트 침략이 계기가 되어, 1991년 1월 17일~2월 28일까지 미국·영국·프랑스 등 34개 다국적군이 이라크를 상대로 이라크·쿠웨이트에서 전개한 전쟁이다.

쿠웨이트가 원유시장에 물량을 과잉 공급하여 유가를 하락시킴으로써 이라크 경제를 파탄에 몰아넣었다고 비난하던 이라크 대통령 사담 후세인은 1990년 8월 2일 쿠웨이트를 전격적으로 침공하여 점령하고 쿠웨이트를 이라크의 19번째 속주(屬州)로 삼아 통치권을 행사하였다. 이라크가 침공하자 쿠웨이트 왕가는 사우디아라비아로 피신하여 망명정부를 수립하였다.

이에 미국을 중심으로 한 서방 각국은 8월 2일부터 12건의 대 이라크 유엔(UN) 결의안을 통과시켰다. 그리고 이를 통하여 이라크를 침략자로 규정하고 이라크군의 즉각적인 쿠웨이트 철수와 쿠웨이트 왕정복고, 대 이라크 무역제재 등의 강력한 이라크 응징을 결의하였다. 유엔 안보리 이사회는 1991년 1월 15일까지 쿠웨이트에서 철군하지 않을 시 이라크에 대한 무력 사용을 승인하는 결의안을 통과시켰다.

이를 전후하여 미국이 대 이라크전에 대비한 다국적군의 결성을 주도함으로써 43만 명 미군을 포함한 34개국의 다국적군 68만 명이 페르시아만 일대에 집결하였다. 이라크도 50여만 명 정규군과 50여만 명 예비군을 동원하고, 정예 공화국 수비대 15만 명을 쿠웨이트 및 이라크 남부 지역에 집중 배치하여 대치하였다.

미국은 이라크의 철수 시한 이틀 뒤인 1991년 1월 17일 대공습을 단행하였고, 압도적 공군력을 바탕으로 1개월간 10만여 회에 걸친 공중폭격을 감행하여 이라크의 주요시설을 거의 파괴하였다. 같은 해 2월 24일에는 전면 지상전을 전개하여 쿠웨이트로부터 이라크군을 축출하고 지상전을 개시한 지 100시간 만인 2월 28일 전쟁 종식을 선언

하였다.

걸프 전쟁 결과 중동은 미국의 절대적 영향 아래 새로운 질서로 재편되는 계기를 맞게 되었다. 한편, 한국은 5억 달러의 지원금을 분담하고 군 의료진 200명, 수송기 5대를 파견하여 걸프전에 참여했다.

걸프 전쟁이 국내에 미친 영향은 대단했다. 전쟁으로 중동에서부터의 원유 수입이 어렵게 됨에 따라 석유 가격이 폭등하고, 사재기와 유사 휘발유의 유통 등으로 국내 석유 유통질서가 문란해졌다. 그래서 경북도에서는 석유 사재기와 고시가격을 위반하여 석유를 판매하는 업체에 대해 대대적인 단속을 실시하고, 매일 그 상황을 시·군으로부터 보고를 받아서 중앙에 다시 보고를 했다.

당시 상정과라는 석유 업무 담당 부서가 따로 있었으나, 국장님께서 주무계에서 그 업무를 챙기라고 하셔서 약 8개월가량 주말도 반납하고 비상근무를 했다.

그리고 성공하지는 못했지만 쌍용자동차 및 삼성자동차 공장용지 조성계획 수립 등을 하며, 국장님들로부터 실력을 인정받기도 했다.

그 당시 불평없이 열심히 일한 것이 청내 소문이 나서 그 후 인사 때마다 주요 보직에 스카우트되는 계기가 되었다.

1991년 8월 초 기획담당관실 확인평가계장으로 자리를 옮겼다. 확인평가계장은 도정업무 중 주요 대형사업의 추진 상황과 적정성을 확인하고 평가하는 업무와 도지사가 간부회의 시나 개별적으로 지시하시는 사항에 대해 일련번호를 부여하여 그 추진 상황을 확인·평가해서 정기적으로 도지사에게 직접 보고를 하는 직책이다. 그래서 도지사가 움직이면 수행비서처럼 늘 따라다녀야 했다. 어느 장소에서 어떤 지시를 할지 모르기 때문이었다.

도지사님들은 처음 발령받아 오시거나, 매년 초 시·군을 방문하여 업무보고를 받았다. 그 당시 경북도 산하에는 34개 시·군이 있었다. 도지사가 시·군을 순시하시면 나도 당연히 동행을 했고 업무보고 등 공식행사를 마치면 나는 그 지역 관광지를 둘러보곤 했다. 내가 9개월 정도 확인평가계장으로 근무하는 동안 34개 시·군을 두 차례 순회 방문했다. 그 당시에는 공직생활을 하는 동안 한 번도 가지 못할 수도 있는 울릉도까지 가보았다.

도지사 비서실장

기획담당관실 확인평가계장으로 근무 중이던 1992년 1월 제22대 이판석 도지사님이 부임해 오셨다. 이 지사님은 카리스마가 대단하셨고, 가끔 무섭게 야단을 치셔서 간부님들도 보고 들어가는 것을 꺼렸다. 시·군 초도 순시를 마치시고는 비서실장을 비롯해서 수행비서 등 비서실 직원을 전원 교체하라고 지시를 하셨다. 인사부서에서 인선작업에 들어갔는데, 비서실장에는 나를 비롯한 몇 사람을 추천했는데, 내가 최종적으로 낙점되었다.

나는 그때 비서실이 뭘 해야 하는지 지사님을 어떻게 모시며, 간부들과 외부 손님과의 관계 유지 등에 대한 사전 지식이 전혀 없어서 많이 걱정했다. 비서실은 가고 싶어 하는 사람들이 있었으나, 희망자는 항상 탈락하고 가기 싫어하는 사람을 보내야 한다는 말도 있었다.

우선 전임 비서실장으로부터 업무 인수인계와 더불어 비서실장이

하는 일에 대하여 설명을 들었다. 그리고 비서실무에 대한 책도 몇 권 구입해서 읽었다. 처음에는 실수도 많이 했고, 지사님으로부터 호된 야단도 많이 맞았다. 지사님도 화가 많이 나시면 다른 사람보다 비서실장을 불러서 20~30분간 계속해서 야단을 치시고, 화가 좀 가라앉으면 그치시곤 했다. 한번은 야단을 한참 동안 맞고 지사실을 나와서 화장실 간다고 비서실 밖으로 나가면서 비서실 출입문에 노크를 하고 나간 적도 있었다. 화장실에 가서는 혼자 쓴웃음을 짓기도 했다.

비서실에 근무하면서 느낀 것은 비서라는 말뜻처럼 비서실에서 알게 된 비밀은 철저하게 지켜야 한다는 것이다. 그리고 간부들이나 직원들 입장에서 지사님께 보고하면 지사님께 야단맞고, 지사님께 인정받으려고 지사님 편에서 열심히 하면 간부들을 비롯한 집행부서로부터 욕을 먹었다.

비서실에 있으면서 또 곤혹스러운 것은 선의의 거짓말을 하는 것이었다. 지사님이 사무실에 계시는데, 찾아온 손님들께는 안 계신다고 거짓말을 해야 할 때이다. 안 계신다고 손님들께 말해두었는데, 지사님이 불쑥 나오셔서 민망한 적도 있었고, 지사님이 개인적으로 약속한 손님인데 안 계신다고 해서 돌려보낸 적도 있었다. 지사님을 찾는 전화가 오면 비서실 직원들은 우선 안 계신다든지, 회의실에서 회의를 하신다고 거짓말을 한 후, 용건을 확인하고 전화를 연결하곤 했다. 지사님이 전화 받기 싫어하는 사람인데도 전화를 잘못 연결했다가 된통 야단을 맞기도 했다.

이판석 지사님과 비서실에서

이판석 지사님이 1년 2개월 정도 근무하시고 퇴임하신 후 1993년 3월 제23대 이의근 지사님이 부임해 오셨다. 전 지사님은 다른 보직 없이 퇴직을 하게 되셨는데, 우리가 고생했다고 하면서 비서실 직원들 한 사람, 한 사람의 보직을 챙겨주셨다.

나를 승진 자리인 행정계장이나 인사계장을 보내주라고 하시며 인사서류를 만들어 오라고 하셨다. 내무국장과 총무과장님이 꼭 그렇게 하겠다는 약속을 하자, 꼭 그렇게 하라고 지시하고 서울로 가셨다. 정말 무서운 지사님이시라 지금도 꿈에 보이면 잠을 깰 정도로 늘 긴장 속에서 비서실장으로 근무를 했다.

새로 부임해 오신 이의근 지사님은 경북 청도 출신으로 내무부 기획관리실장으로 근무하다 내려오셨다. 성품이 온화하고, 기독교 장로셨으며, 꼼꼼하셔서 무엇이든지 물으시면 나는 대답을 제대로 하지 못했다. 나는 자리를 옮겨주리라 생각했는데, 다른 사람을 발령내면 또 적응 기간이 필요하다며 계속해서 비서실장으로 근무하라고 해서 계속 근무하게 되었다. 이의근 지사님 손님 중에는 교회 관련 손님이 많았다. 김영삼 정부 때라 교회 관련 사람들이 중앙 인사나 중요한 의사결정에 영향을 미치는 듯했다.

점심 식사 후나 어려운 일들이 있을 때는 지사님께서 사무실에서 성경을 읽거나 기도를 하시기도 하셨다. 아무튼 내가 잘 모시지도 못했는데 늘 보직을 챙겨주시고, 내가 교회에 나가도록 인도해 주셨다. 몇 년 전에 암으로 돌아가셨는데 내가 모실 때 휴식시간도 좀 더 드리고, 내가 야단을 맞더라도 힘든 일들은 보고를 드리지 말 걸 하는 생각이 들기도 했다.

이의근 지사님은 10개월 정도 도지사로 근무하시다가 청와대 행정수석으로 영전해 자리를 옮기시고, 건설부에서 근무하시던 제24대 우명규 지사님이 1993년 12월 말 부임해 오셨다. 우 지사님은 경북 의성 출신인데, 부산에서 고등학교와 대학을 나오셔서 부산 인맥이 많았다. YS 때는 민주산악회가 큰 영향력을 행사했는데, 우 지사님도 그 멤버로 활동하셨던 것으로 보였다.

나는 자리를 옮기려고 희망했으나 마땅한 사람이 없다고 하면서 비서실에 좀 더 근무하라고 강권해서 세 번째 도지사님을 모시게 되었다. 우 지사님은 성격이 소탈하고, 매우 서민적이셨다. 경상도 사투리를 강하게 쓰셨고, 결정도 시원시원하게 해주셔서 모시기가 편했다. 도에서 시·군으로 출장 갈 때는, 출장을 하루 더 달아서 시·군 직원에게 얻어먹지 말고, 차라도 한 잔 사주고 오라고도 하셨다.

그리고 우 지사님은 성격이 좀 급하고 판단이 빠르셨다. 그리고 커

피나 차 대신에 박카스를 즐겨 드셨는데 많이 드실 때는 하루에 10병 정도 드실 때도 있었다. 우 지사님도 11개월 정도 근무하시고는 서울특별시장으로 영전 발령을 받으셨다. 비서실 직원들을 일일이 격려해 주시고, 1994년 10월 21일 서울행 새마을호를 타고 올라가셨다. 동대구역에서 배웅을 할 때 서울 오면 꼭 들르고 자주 연락하고 비서실 직원들 잘 챙기라고 말씀해 주셨다.

서울시장으로 부임하시고 얼마 지나지 않아서 서울 한강의 성수대교 붕괴사고가 발생해서 온통 나라가 뒤집혔다. 우 시장님이 수습을 하셨으나 현직 서울시장인 데다 성수대교 건설 시 책임자였다는 책임론이 강하게 거론되면서 얼마 지나지 않아 서울시장직을 사임하게 되셨다.

그 후에도 서울 가면 뵙기도 하고, 교육 들어가면 우리를 불러내서 밥을 사주기도 하셨다. 나는 내가 모시던 지사님들로부터 전화가 오면 조심스러워서 말을 더듬거리곤 하는데 우 지사님으로부터 전화가 오면 늘 편하게 주변 지인들의 소식까지도 얘기하곤 했다.

나는 이렇게 2년 4개월 동안 도지사 세 분을 모신 후, 제25대 심우영 지사님이 부임해 오셔서야 인사계장으로 자리를 옮겼다. 그리고 난 후 1995년에 지방자치단체장 선거가 있었는데 그때 내가 첫 번째와 두 번째로 모셨던 두 분이 경북도지사에 동시에 출마하시고, 두 번째로 모셨던 분이 민선 도지사로 당선되어 1995년 7월 1일 취임을 하셨다.

그 후 나는 과장 승진을 하고 몇 차례 보직 이동을 했다. 그리고 칠곡군수 권한대행으로 1년 5개월 정도 근무를 하고 있는데, 또다시 비서실장으로 오라고 지사님이 직접 전화를 주셨다. 그다음 해에 자치단체장 선거가 있으니 비서실장을 맡아서 좀 도와달라는 말씀이셨다.

임명 도지사 시절에는 비서실장이 5급이었으나, 민선으로 바뀌고 난 뒤에는 4급으로 상향되어 있었다. 나는 인간적으로 거절할 수가 없어서, 죽기보다 싫었지만 다시 비서실장을 맡아 13개월을 근무하였다. 지사님도 재선에 성공하시고, 고생한 것을 인정해 주셔서 2기 지사로 취임하신 후 상주 부시장으로 보내 주셨다.

비서실장 직책에 대해 잘 모르고 근무할 때는 긴장도 하고 시간도 잘 지나갔는데 민선 후 비서실장 13개월은 정말 지루하고 힘들었다. 이렇게 나는 합계 3년 4개월을 비서실장으로 근무해서 도청 역사상 최장기 비서실장이라는 기록을 남기게 되었다. 비서실장은 출세의 지름길이고, 나름대로 인맥을 형성할 수 있는 좋은 자리로 알려지고 있으나, 지나고 나서 뒤돌아보면 힘들고 처신이 어려워서 절대 다시 근무하고 싶지 않은 보직이었다.

그러나 내가 어떤 위기 상황에 부닥칠 때는 내가 모셨던 분들의 사례를 적용해서 일 처리를 하곤 했다. 가장 확실한 리더십 수업을 받은 것은 부인할 수 없고 감사를 드린다.

과장 승진

비서실장으로 2년 3개월 근무한 후 인사계장으로 자리를 옮겼다. 비서실에서 고생도 하고, 사무관 임용 10년이 넘어서 그 자리에서 바로 과장으로 승진할 수도 있었으나, 평정 관리가 안 되어서 인사계장으로 자리를 옮겨야 했다. 다른 계의 직원은 보통 2~3명이었는데, 도청 직원 2,000명 정도의 인사를 담당하다 보니 인사계의 직원은 10명이나 되었다.

인사업무는 보안이 중요하고, 직원 개인의 신상 및 복지와 관계가 되어서 부서 규율이 아주 엄격했다. 계장과 차석이 출근하기 전에 계원들은 출근해야 하고, 퇴근 후에 퇴근함은 물론 저녁 회식 통보를 하면 단 한 명도 예외 없이 참석해야 했다. 계장이나 차석의 한마디는 지상명령이었다. 집안 제사나 가족 생일은 항상 후순위가 되어야 했다.

인사계장으로 최고의 평정을 한번 받자 승진후보자 순위가 1위가 되었다. 그런데 우리 국에 나이가 많은 사무관 중에 과장 승진 기회가 마지막인 분이 있어서, 인사계장이지만 승진을 양보하고 그다음 기회에 승진을 했다. 흔쾌히 양보하자 당사자도 무척 고마워했고 나이 많았던 다른 계장들도 자기 일인 양 나에게 공치사를 했다.

인사계에서 13개월 정도 근무를 하고 과장으로 승진을 해서 법무담당관으로 자리를 옮겼다. 고시 출신들은 전통적으로 법무담당관을 과장 첫 보직으로 선호했다. 그러나 나는 계장 시절 송무계장과 법제계장을 3년이나 했기 때문에 업무는 익숙하고 부담이 없었으나, 법무관실 업무가 지루하고 곧 싫증이 났다.

그래서 지방정치를 좀 경험하고 지방의원들도 좀 사귈 겸 해서 6개월 만에 의회사무처 문화체육관광위원회 전문위원으로 자리를 옮겼다. 지방의회는 회기 중에는 바빴으나 비회기 중에는 비교적 시간이 많았다. 그래서 해외 연수에 대비해서 영어 공부도 좀 하고 저녁 시간에는 인근 대학에서 행정법 강의도 하였다.

그때 우리 아이들이 5학년과 6학년이고, 나도 과장 2년 차여서 해외 연수를 한번 다녀와야겠다고 생각했다. 나도 영어 공부를 하고 가족들도 공부를 좀 하도록 했다. 공무원이 해외 연수나 유학을 하기 위해서는 토익점수가 760점 이상 되어야 해서 토익시험도 보았다.

그다음은 어디로 갈 것이냐 하는 것이었다. 미국 오하이오주와 우리 경상북도가 자매결연을 하고, 우리 도에서 1명이 오하이오주립대에 연수를 하고 있었다. 그 뒷자리로 가면 시간도 절약되고 전임자의 도움도 받을 수 있을 것 같아서 그렇게 하기로 했다. 오하이오주립대 경영학부에는 한국인이신 김재성 교수님이 계셔서 그분의 도움으로 그 절차를 쉽게 밟을 수 있었다.

그렇게 나는 지방의회에서 1년 정도 근무를 한 후 오하이오주립대학으로 연수파견을 갔다. 거기에는 나보다 미리 와 있던 한국 교환교수들이 몇 명 있어서 같이 어울리며 재미있게 생활할 수 있었다.

잊을 수 없는 미국 생활

우리 가족들은 전임자의 도움으로 미국 오하이오주 프랭클린 카운티 더블린시에 거주하기로 하고, 주택임차계약을 하고 미국에서 입을 옷과 반찬들을 가득 챙겨서 1997년 8월 김포공항에서 미국행 비행기에 올랐다. 비행경로는 시카고까지는 대한항공으로 가서 미국 내 경비행기로 갈아타고 클리블랜드에 도착하면 아르바이트 학생이 기다렸다가 우리를 안내하도록 되어 있었다.

그런데 가는 도중에 문제가 발생했다. 새벽에 시카고에 도착했는데 갈아탈 클리블랜드로 가는 비행기가 연착하고 탑승구가 변경되는 바람에 비행기를 놓치고 말았다. 그래서 그다음 날 비행기로 예약을 다시 하고 기다리고 있던 학생에게도 다른 사람을 통하여 연락한 후 공항 근처 힐튼호텔에서 우리 가족은 미국에서 첫날밤을 보냈다.

다음 날 오전 클리블랜드에 도착하자 안내를 맡은 학생이 우리를 기다리고 있었다. 우리는 거처할 주택에 도착하여 짐을 내려놓고 관리 사무실에 가서 임대차계약을 확정했다. 일정액의 보증금과 한 달 월세를 선납하고 사용상 주의 사항에 대한 설명을 듣고 키를 받아왔다. 아르바이트 학생은 계속해서 나의 학교등록, 아이들 전학, 우리 가족 보험카드와 신체검사 등 공·사적인 업무를 도와주었다.

내가 집을 얻은 더블린시는 아일랜드에서 미국으로 건너온 사람들이 많이 사는 곳이었다. 그래서 주민들이 키도 크고 노랑머리에 푸른 눈을 가진 사람들이 많았고, 그 사이에 더불어 사는 우리 동양인 들은 수가 적고 외모가 상당히 비교되었다. 원래 아일랜드의 더블린시는 아일랜드의 정치·경제·문화의 중심지로 수륙 교통의 요지이다. 내륙부와는 철도와 로열 운하·그랜드 운하 등으로 연결되고 동쪽의 잉글랜드와는 아이리시해를 끼고 리버풀과 마주하고 있다.

우리가 집에 도착하여 짐을 내려놓자마자 이웃에 사는 교인 몇 분이 찾아와서 저녁식사를 준비할 테니 같이하자고 하셨다. 나는 그때까지 교회에 나가지 않았고 아내 소원이 내가 교회에 같이 나가는 것이었다. 우리가 짐을 대충 정리하고 한 집사님 댁에 도착하자 인근 교회의 목사님과 10여 명의 성도가 기다리고 있었다. 그리고 우리는 대화를 나누면서 같이 식사를 하였다.

나는 그때 이근상 목사님의 인간적인 매력과 그분의 종교관에 매료되어 기독교에 대한 강한 거부감이 조금씩 줄어져 갔다. 그 후 교회에서 우리 가족에게 필요한 침대, 식기, 전자제품 기타 생필품을 많이 준비해 주었다. 식구들이 아프면 병원으로 안내해 주었고 자동차 구매 등 일상적인 일에도 많은 도움을 주었다.

우리 가족과 인근 교인들의 권유로 나는 미국에서 비로소 자발적으로 교회에 나가게 되었다. 미국의 교회는 성경 위주의 설교를 하였고 아이들을 위한 프로그램도 잘 준비되어 있었다. 나는 교인들도 사귀고 교회 생활에도 익숙해져서 새벽 기도도 나가고 성경공부에도 참여했다.

목사님과 집사님들이 늦었지만 내 믿음이 순수하다고 하면서 시험에 들지 않게 잘 인도해 주었다. 종교는 그 종교를 믿는 사람을 보면 쉽게 시험에 들게 되므로 성경 등 경전을 중심으로 믿어야 한다는 생각을 하게 되었다. 뭐든지 마음을 먹으면 열심히 하는 성격이라 내가 생각해도 제정신이 아닐 정도로 성경공부를 열심히 했고, 입교한 지 1년쯤 되었을 때 목사님이 세례를 받으라고 하셔서 세례라는 큰 선물도 미국에서 받게 되었다.

미국으로 가기 전에 1년 동안 오하이오 주립대학에서 연수할 계획서를 학교 측에 사전에 제출했다. 처음 2개월간은 외국인 학생들을 위한 ELS 과정을 의무적으로 거치게 되어 있었다. 젊은 외국 유학생들 틈에 끼어서 열심히 따라가려고 노력했다. 낮에는 매일 여덟 시간씩 수업을 하고 그다음 날 토론을 위한 과제를 주면 밤새도록 단어를 찾아가며 준비를 해야 했다.

강도 높게 ELS 과정 2개월을 마쳤을 때, 몸무게가 5kg 정도 줄어들었다. 그리고 나머지 기간은 대학에서 강의를 듣거나, 하거나, 기타 관련 연구에 참여하게 되어 있었다. 나는 석사 학위를 받을 것도 아니고 해서 미국 오하이오주의 지방행정 현장을 돌아보고, 우리 경북도와 비교 연구를 하는 것으로 계획서를 제출했다. 1주일에 하루 정도 강의를 듣고, 2차례 정도는 벤치마킹을 위해 현장을 방문했다. 행정기관, 의회, 직업훈련소, 장애인 회관, 박람회장, 도서관, 박물관 등등….

내가 방문 기관을 선정하면, 학교에서 지정해 준 안내자가 방문 시간 등을 협의해 주었고, 방문 시 동행해서 안내했다. 그렇게 방문한 기관·단체가 70여 개 정도 되었다. 나에게는 강의를 통하여 공부하는 것보다 훨씬 산교육이 되었다.

주말에는 지인들과 골프장을 거의 매주 다녔는데 골프장 이용료도 싸고 경치도 좋았다. 그야말로 우리 가족들과 천국에서 사는 느낌으로 생활했다.

아이들은 미국인 학교에 전학해서 친구들도 사귀고 공부도 흥미를 붙이며 잘 적응했다. 방과 후에는 가정교사를 구해서 영어 공부를 시켰는데, 가정교사인 린다 아줌마가 우리 아이들을 이뻐해 줬고 자기 아이들과도 어울려 놀게 했다. 큰아이는 7학년, 작은 아이는 6학년이었는데 1년 연수를 마치고 귀국해서 큰아이는 중2, 작은아이는 중 1학년에 복학했다. 작은아이는 초등 6학년 1학기 마치고 가서 중1이 되어 2학기에 복학을 하다 보니, 초등학교 졸업장이 없는 아이가 되고 말았다.

미국의 초등학교는 4학기제이고, 중간에 방학이 있었다. 방학 동안 우리 가족은 좀 큰 차를 빌려서 장거리 여행을 했다. 내가 운전을 해서 미국 동부와 중부지역을 많이 다녔다. 아이들에게도 교육적으로 도움이 될 듯해서 워싱턴DC, 뉴욕, 애틀랜타, 나이아가라 등을 두루 다녔다. 아침, 저녁은 밥도 해 먹고 점심은 현지식으로 주로 해결했다. 복잡한 뉴욕 거리도 운전해 다니고 뉴저지주 고속도로에서는 과속에 걸려 딱지를 받기도 했다.

우리가 살던 주택은 2층으로 되어 있었는데 1층에는 부엌과 거실이 있고 2층에는 침실 2개와 화장실이 있었다. 우리 부부가 침실을 하나 쓰고, 아이들 둘이 침실을 하나 사용했다. 아이들 방은 거실 위쪽에, 그리고 우리 방은 부엌 위쪽에 있었다.

어느 날 거실과 아이들 방 사이의 공간에 벌들이 몇 마리 들락거리더니 그 수가 점점 늘어났다. 처음에는 대수롭지 않게 생각했는데 나중에는 수백 마리가 넘는 것 같았다. 음식에도 떨어지고 거실에 수십 마리씩 날아다니곤 했고 아이들도 여러 차례 벌에 쏘이기도 했다. 관리실에 얘기해서 약을 쳐도 좀처럼 벌이 퇴치되지 않았다.

그래서 하는 수없이 우리 가족은 관리사무소에서 얻어 준 호텔에서 1주일 정도 머물면서 전문가를 불러서 집 일부를 뜯어 벌집을 제거하고 소독을 해서 벌을 완전히 제거할 수 있었다. 나는 벌들의 번식 속도가 무서울 정도로 빠르다는 것을 그때 처음 알았다. 그때 관리사무소에서 호텔을 얻어 주고, 벌집을 제거한 후 죄송하다고 하면서 부대비용도 부담해 줘서 정말 고마웠고, 미국이 정말 선진국이구나 하고 느꼈다.

대형마트에서 경험했던 일을 두 가지 소개하고자 한다. 하루는 가족과 같이 마트에 가서 가스레인지 안에 빙빙 돌고 있는 통닭을 한 마리 사서 계산을 하고 집에 왔는데 집에 와서 보니 통닭이 없는 것이었다. 아내와 아이들은 실망했고 나는 정말 황당했다. 우리 앞에 흑인 여자가 계산을 했는데 아마도 통닭이 그리로 딸려 간 것 같았다. 나는 영수증을 가지고 마트 고객 서비스 코너에 가서 사실대로 얘기했다. 그랬더니 가끔 그런 경우가 있다면서 통닭 판매대에 가서 한 마리를 골라오라고 했다. 내가 골라오자 마트 직원이 포장을 해주면서 죄송하다는 말도 덧붙였다. 우리나라의 경우라면 어땠을까 하는 생각을 했다.

또 한 번은 믹서기를 사서 딱딱한 콩을 갈다가 믹서기 날을 부숴버리고 말았다. 그냥 버리려고 하다가 AS가 가능한지를 물으려고 고객 서비스 코너에 들렀더니, 재고품이 없어서 그런데 며칠만 기다리면 공장에 연락해서 새것으로 바꿔주겠다고 했다. 그래서 내 잘못으로 고장을 냈는데 왜 교환해 주느냐고 묻자, 고객들이 실수로 잘못 사용하지 않도록 안전장치를 하거나 영어가 서툰 사람들을 위해 그림으로 설명을 하거나 하는 것은 제조사의 의무라고 했다. 그래서 당연히 제조사에서 교환해 주어야 한다는 것이다.

그리고 그 마트에는 판매 부서와 서비스 부서가 나누어져 있는데, 서비스 부서는 고객의 입장에서 반품과 교환을 많이 해줘야 성과가 올라간다는 것이었다. 미국이 그냥 선진국이 아니고, 이러한 국민의 정신과 문화가 모여서 오늘의 강대국이 되었구나 하고 느꼈다.

1997년 겨울에는 오하이오 지역에 유난히도 눈이 많이 내렸다. 하루는 눈 덮인 언덕을 운전해 내려가다가, 그만 흑인 여성의 자동차를 뒤에서 충돌하는 사고를 내고 말았다. 눈길에서는 브레이크를 밟으면 안 되는데 도로가 미끄러워서 핸들을 우측으로 꺾었으나 미끄러져 내려가 충돌하고 말았다. 경찰이 와서 조사를 하고, 나도 보험회사에 연락했는데 그다음 해에 보험료가 엄청나게 많이 나왔다.

당시 미국에서 우리 가족은 자동차를 두 대를 운행했다. 한 대는 내가 사용하다 한국에 가져오기 위해 신형 쏘나타를 샀고, 한 대는 가족들이 사용하기 위해 도요타 중고 자동차를 샀다. 하루는 주말에 가족들이 나들이하러 갔는데 타이어가 펑크가 났다. 그래서 뒤 트렁크에 예비 타이어를 꺼내서 교환하려고 하니까 크기가 본타이어보다 작았다. 내 생각에 4개의 타이어 중 하나의 크기가 작으면 운행 중에 휠이 상할 것 같았다.

그래서 보험회사 무료 서비스 코너에 연락을 했다. 그랬더니 서비스 차량이 와서 크기가 작은 예비 타이어로 교환을 해주면서, 가까운 정비소에 가서 펑크 난 타이어의 수리를 받으라고 했다. 미국에서는 예비 타이어는 가까운 정비소까지만 가도록 법상 크기를 작게 해 둔 것이었다. 우리는 교체 수단으로 예비 타이어를 두었지만, 미국에서는 응급수단으로 예비 타이어를 둔 것을 알았을 때 나는 무지 창피하고 얼굴이 화끈거리는 것을 느꼈다.

미국에 들어가기 전에 자동차 운전을 하기 위하여 한국에서 국제면허증을 준비해 가서 운전에는 문제가 없었다. 그러나 미국에서는 운전면허증이 가장 대표적인 신분증이고, 운전면허증 발급 절차에 대한 벤치마킹도 할 겸 운전면허시험에 도전하기로 했다. 간단한 신체검사를 하고, 교통법규에 관한 필기시험을 본 후 실기시험을 거쳐 최종 면허증을 발급받았다.

우선 신체 검사서에 나는 몸무게를 86kg으로 적었는데 직원이 몸무게가 맞느냐고 반복해서 물었고, 나는 맞다고 우겼다. 그래서 서로 실랑이가 붙어서 실제로 체중계에 달아보기로 했다. 달아본 결과 86kg이 맞았다. 그러자 면허시험장 직원은 "오 마이 갓"과 "아이 엠 쏘리"를 연발하며 얼굴이 붉어졌다. 자기가 생각하기에는 65kg 정도 될 것으로 생각했다는 것이었다. 그리고 내가 착각을 한 것이거나 영어가 서툴러서 잘 못 기록한 것으로 생각했다는 것이었다.

특히 실기시험에서는 철도 건널목 등 여러 가지 장애물들을 실제 모양으로 설치를 해서 시험관이 옆에 타고 코스를 한 바퀴 도는 방식인데 일단정지 장애물이나 신호에서 확실하게 정지를 해서 속도계가 영이 된 후 다시 출발하지 않으면 불합격 처리가 되었다. 기본에 충실하고 정해진 규정은 반드시 지키는 높은 미국의 시민성이 면허시험에서도 그대로 반영된 듯했다. 한국 사람들이 가장 많이 떨어지는 이유가 조급증과 대충주의 때문이라는 얘기를 들었다.

하루는 일과 후에 더블린 시의회를 방문했다. 나는 안내를 받아 시의회 운영상황을 볼 수 있었다. 더블린 시의회는 매주 화요일 저녁에 열렸다. 낮에는 의원들이 자기 직업에 종사하고, 일과 후 저녁에 무보수 봉사 차원에서 의정 활동을 하고 있었다. 그리고 경찰이 시장 소속 국장급으로 직제가 되어 있었다. 먼저 시민들과 학생들에게 시상을 하고 간부들로부터 보고를 받았는데 보고 시 간부들만 참석하고 직원들은 모두 퇴근하고 없었다.

그리고 특정 사항에 대해 의결을 하는데 의결 내용에 대해 의장이 설명하고 각각의 의원들에게 의견을 물었다. 우리의 경우 "의의 없습니까?" 하고 묻고는 다른 의견이 없으면 바로 의결을 하거나 거수나 기립으로 결정을 하는데 더블린시 의회에서는 의장이 의원 한 사람, 한사람 이름을 부르면 각 의원은 '예스' 또는 '노'라고 대답하고, 속기사는 그것을 기록했다. 무슨 일이든지 대충이 아니고 확실하게 하는 미국인들의 문화가 의회 의결 과정에도 그대로 적용되고 있었다.

미국에 있는 동안 부끄러운 경험도 몇 차례 했다. 두 가지만 소개하고자 한다.

미국의 경우 겨울 비수기에 골프장 이용을 늘리기 위해 주립 퍼블릭 골프장에서 일정 금액으로 회원카드를 발급해서, 카드 소지자는 몇 개월간 골프장을 무제한 사용하도록 하고 있었다. 우리가 미국인들을 구별을 잘 못 하듯이 미국인들도 동양인들이 구별이 잘 안 된다고 한다. 한국인들이 다른 사람들의 회원카드를 빌려서 퍼블릭 골프장에서 사용을 하다가 발각이 된 것이었다.

미국인들은 회원카드의 사진과 실물이 조금 다르더라도 가능하면 의심을 하지 않고, 지적을 하면 상대방이 무안해할까 봐 그냥 눈감아주는 경향도 있었다. 그런데 다른 사람들의 카드를 빌려서 골프를 하는 사람들이 늘어나자 정회원들의 불평이 생기고, 엄격한 출입검사를 요청하는 회원들도 생겼다. 그러자 골프장 측에서 본인 확인을 하게 되었고, 한국인들이 무더기로 적발된 것이었다. 그 일 후로는 당분간 골프장 가기가 부끄러웠다.

또 한 번은 교회 성도들 몇 사람과 어울려 인근 댐으로 낚시하러 갔다. 새벽에 도착하여 낚시를 드리웠으나 한 마리도 걸리지 않았다. 그런데 댐 하류 개울에는 그야말로 잉어들이 고기 반, 물 반 상태였다. 우리 일행 중 한 사람이 뜰채를 준비해 와서 물고기를 잡으려다 관광객의 신고로 경찰에 붙잡혔다. 미국은 낚시의 미끼를 이용하여 물고기 잡는 것을 제외하고는 모두 금지되어 있다. 우리는 손이야 발이야 빌고서야 풀려날 수 있었다. 그것도 직접 물고기를 잡은 사람들은 벌금을 내기로 하고.

귀국길에 그랜드캐니언에서

이렇게 우리 가족들은 다양한 경험과 공부를 하면서 13개월을 잘 보내고 국내로 귀국하게 되었다. 돌아오는 길에 미국 서부지방에 들러서 여러 지역을 관광할 계획을 세우고, LA 호텔에 여장을 풀고 패키지여행을 택했다. 그랜드캐니언, 라스베이거스, 샌프란시스코, 영화 촬영장 등을 두루 다니며 구경하고 1998년 9월 LA에서 귀국 비행기에 올랐다.

제 8장

경북도청 공직생활 Ⅱ

국제통상과장

1998년 9월 미국 연수를 마치고 귀국한 후, 그해 10월 해외 연수 근무경력이 고려되어 국제통상과장으로 발령이 났다. 국제통상업무는 원래 국가업무이나 지방자치단체 차원에서 자매결연, 투자유치, 재외도민 관리, 국제회의 업무 등을 주로 담당했고, 업무 특성상 외국 출장이 잦았다. 그리고 당시 국제통상과에는 외교부 출신 자문대사 한 명, 코트라 출신의 통상자문관 한 명, 자매결연을 한 일본 시마네현과 중국 허난성 공무원이 각각 한 명씩 같이 근무하고 있었다.

이의근 지사님께서 민선 2기에 당선되신 후 동북아 지역 광역자치단체를 회원으로 하는 동북아자치단체연합을 결성하여, 사무국을 경상북도에 설치·운영하였다. 이 연합회는 매년 1차례 정기회의를 개최했는데, 그해는 일본 도야마현에서 개최될 예정이었다. 회의 내용은 회의 전날 저녁에 환영 만찬을 하고, 그다음 날 오전 총회를 개최하는 것으로 되어 있었다. 우리는 일본으로 출발하기 전에 지사님의 환영 만찬과 총회장에서의 연설 내용을 미리 지사님의 검토를 받아 일본 측 동시 통역에게도 보내놓았다.

그런데 김포공항에서 탄 비행기가 도야마 공항에 내리기 직전에 지사님께서 비행기 안에 비치된 도야마 관광 홍보물을 보시더니 연설 내용을 보완해야겠다고 말씀을 하시는 것이었다. 내가 지사님 옆자리에서 비행기가 착륙하는 중에 지시 내용을 메모하고, 비행장에서 만찬장으로 가는 승용차 안에서 내용을 지시대로 수정하여 지사님이 만찬장 연설을 하시도록 해드렸다.

지사님은 다음 날 오전 총회장 연설문도 전면 수정하도록 지시하셔서 나는 밤새도록 고치고 또 고쳐서 다음 날 아침에야 지사님으로부터 OK를 받을 수 있었다. 지사님은 총회에서 도야마현에 대한 정보를 듬뿍 담은 주제 연설을 훌륭하게 잘 마치고, 도야마현 관계자의 안내로 지역 관광을 나가셨다. 내가 지사님 대신 그 자리를 지키게 되었는데 긴장이 풀리자 잠이 몰려오기 시작했다. 오전 회의 내내 비몽사몽 간에 시간을 보냈다.

이 지사님은 평소 온화하시고 좀처럼 언성을 높여 화내시는 일이 잘 없었다. 그러나 업무와 관련해서는 대충이 통하지 않았고, 철저하셨다. 그리고 그분은 9급으로 공직을 시작해서 도지사까지 오르신 입지전적 인물로 많은 사람에게 알려져 있다. 그분이 그렇게 성공할 수 있었던 것은 다 그만한 이유가 있었다는 것을 느꼈다. 평소 지사님을 수행했던 사람들로부터 지사님 질문에 답변을 못 해 곤욕을 치렀다는 얘기를 자주 들었는데, 그때 직접 경험을 하고야 그 얘기가 이해가 되었다. 특히 지사님 모시고 가는 해외 출장은 직원들이 서로 수행을 안 하려고 발뺌을 하곤 했다.

지방행정연수원 장기교육

1999년 초 지방행정연수원 장기교육 입교자 신청이 시작되었다. 과장급인 고위 관리자 과정에 네 명을 선발했는데, 지원자를 우선 선발하고 지원자가 없을 시 강제로 지명을 했다. 김재홍·이태암·민병조 과장 그리고 나, 이렇게 네 명이 같이 자가고 상의를 한 후 동시에 지원을 했다.

수원에 있는 지방행정연수원에서 타 시·도에서 온 공무원들과 10개월 받는 교육이었다. 고위 간부반은 34명이었고, 1개월 정도는 연수원 기숙사 합숙을 하였고, 나머지 기간은 인근 지역에서 하숙을 하거나 자취를 했다. 교육내용은 정신교육, 보수교육, 외국어교육, 체육활동, 취미생활 그리고 다양한 국내외 연수 등으로 짜여있었다.

경북에서 입교한 우리 과장들 네 명은 연수원 근처에 방 네 개 있는 아파트를 하나 임차해서, 각각 한 개씩을 사용하며 지내기로 했다. 그리고 우리는 서로 역할을 분담했다. 내가 최고 고참이라 방장을 맡아 가장 큰 방을 차지하고, 막내 민 과장이 가장 젊어서 회계를 맡으면서 가장 작은 방을 사용했다. 임차료를 포함한 공통경비는 매월 일정액씩 갹출해서 사용했고, 밑반찬은 매주 한 가지씩 가져왔으며 국이나 고기를 먹고 싶으면 시장에서 사서 만들어 먹었다.

시장 심부름은 막내 민 과장이 담당했는데 정육점 아줌마를 어떻게 구워삶았는지 귀한 안창살과 치마살 부위를 곧잘 사 오곤 했다. 그리고 요리는 이태암 과장 담당이었다. 군에서 취사병을 했고 요리사 자격증도 가지고 있었는데 특히 닭개장을 잘 끓였다. 쓰레기는 김재홍 과장 담당이었다. 철저한 환경주의자로 음식물 쓰레기 배출 제로화 실천자였다. 수박이나 양파껍질 등은 얇게 썰어서 말리고 반찬은 꼭 먹을 만큼만 차리는데, 조금이라도 남으면 본인이 다 먹어 치웠다. 그런데 나만 아무런 특기가 없어 입만 가지고, 동료들에게 빈대 붙어서 1년을 보냈다.

나는 교육을 마친 후 저녁 시간에 중국어 공부를 하기로 하고 인근 사설학원에 다녔다. 나머지 세 명은 골프를 배우기 위해 골프 연습장을 나갔다. 사교춤을 배우는 사람들도 있었고, 색소폰이나 드럼을 배우는 사람들도 있었다. 국내에서는 가기가 쉽지 않은 역사·문화유적지, 백령도, 울릉도, 독도 그리고 대형 프로젝트 현장을 두루 다녔고 10일 정도 해외 연수 기간에는 중국과 러시아를 다녀왔다. 그때 중국어 공부한 것을 현지에서 적용해 보았다.

전국에서 온 과장급 간부 30여 명이 10개월간 같이 교육을 받다 보니 서로 친하게 되고 정이 들었다. 그래서 우리는 모임을 만들어 교육 수료 후에도 1년에 한두 차례 정기적으로 만나면서 친목을 다지고 정보를 교환하곤 했다. 우리 네 명도 1년 동안 한 집에서 동고동락한 인연을 잘 유지·발전시키면서 가족들과도 같이 모임을 가졌다. 그동안 막내 민 과장이 먼저 하늘나라로 갔다. 지금도 막내를 생각할 때마다 가슴이 울컥하고 눈에는 눈물이 고인다.

민병조·이태암·김재홍 과장과 현장방문지에서

공보관

1999년 말 지방행정연수원 장기교육과정을 수료한 후 대기하다가 다음 해 2월 공보관으로 발령을 받았다. 경북도청에 주재하는 기자들은 중앙지 기자 10여 명, 지방지 기자 20여 명 등 모두 30명이 조금 넘었다. 이미 비서실장으로 근무하면서 주재기자들과 가끔 식사도 하고 저녁에 소주잔도 같이 기울였던 터라 대부분의 기자들을 알았고 친분도 있었다.

기자들은 나름의 직업의식도 강하고 회사 지시로 기사를 쓰는 경우도 있어서, 나는 기본에 충실하고 중립적인 입장에서 홍보 관리를 하려고 노력했다. 공보관은 출입기자들의 취재를 지원할 뿐 아니라, 언론사 간부들과도 정기적으로 식사도 하고 저녁에는 술도 가끔 했다. 포항, 구미, 안동에는 개별 언론사도 있고 취재본부도 있어서 지역별로도 지사님을 모시고 모임을 가졌다.

지역 기자협회 체육대회와 기자들의 경·조사에도 일일이 참석하다 보니 개인적인 친분도 더욱 두터워졌다. 이처럼 술도 많이 먹고, 부정적 보도로 지사님으로부터 야단도 많이 맞았지만 공보관으로 근무한 1년은 향후 나의 공무원 생활에 많은 도움이 되었다.

하루는 모 신문사 편집국 국장을 비롯한 직원 20여 명과 저녁식사를 하게 되었다. 도축장에 가서 쇠고기를 부위별로 사 와서 식당에 맡겨 음식을 푸짐하게 준비했고, 우리 공보관실 직원들도 몇 명 동행하여 같이 식사를 했다. 그때 '개구리'라는 별명의 보도계장이 글도 쓰시고 사회공헌사업도 많이 하고 언론사 관계자들과 친분이 있어서, 편한 분위기에서 먹다 보니 모두가 과음을 하게 되었다. 그날 나도 집에는 도착했는데 필름이 끊어진 상태였다. 나는 필름을 거꾸로 돌리면서 끊어진 필름을 복원하려고 노력했다. 그 식당에서 나올 때 내 신발이 없어서 한쪽에는 구두를, 한쪽에는 슬리퍼를 신고 택시를 타고 집으로 와서는 소변이 마려워서 옷장 문을 열고 볼일을 보았던 것이다. 그 후 그 실수가 아내에게 약점이 되어 술 얘기가 나오면 나를 기죽게 만들었다.

어느 날 오후 박명재 부지사님으로부터 인터폰이 왔다. 사무실을 정리하고 같이 외출할 준비를 해서 내려오라는 말씀이었다. 그 당시 부지사실은 3층에, 기자실은 4층에 있었다. 그날 지사님은 서울 출장 중이셨다. 부지사님 차를 타고 도착한 곳은 단성사라는 개봉 영화관이었다. 우리 둘은 『글래디에이터』라는 영화를 보고 나와서 인근 횟집에서 소주를 한잔하였다. 그때 부지사님이 고생한다고 나를 격려해 주셨고, 내무부 대변인을 하시면서 겪으셨던 경험담도 얘기해 주셨다. 행정 9단이시고 팔방미인이신 부지사님으로부터 '극한 속의 여유'를 즐기는 법을 배웠다. 그러나 수가 딸려서 후배 공무원들에게 전수를 못 하고 퇴직하였다.

한 번은 출입 기자단으로부터 야외 단합대회를 한번 하자는 제안을 받았다. 그래서 수산과장과 상의를 해서 동해에서 배를 타고 바다 낚시도 하고, 선상에서 소주도 한잔하기로 했다. 배는 우리 경상북도 해안 감시선(행정선)을 타기로 하고 낚시와 별도로 전복, 소라, 성게부터 각종 자연산 회와 금복주를 가득 싣기로 했다. 날짜가 가까워지자 주재기자 30명 중 한둘씩 떨어져 나가고 절반 정도만 참석했고, 수산과와 공보관실 직원 10명 정도 해서 모두 25명 정도가 배에 올랐다. 수산과장과 나는 배 안에서 기자들에게 술은 많이 먹여 다운시키지 않으면, 육지에서 노래방 등 2차를 해야 하므로 배 안에서 기자들을 술로 몰살시키는 작전을 폈다.

배에 오르자마자 신선한 회와 함께 술이 나왔다. 술잔은 커다란 전복과 소라 껍데기를 사용했다. 그런데 술잔이 나름대로 운치도 있었으나 크기가 커서 소주 반병 정도가 들어갔다. 그렇게 몇 잔씩 돌자 기자들과 우리 직원들은 형님, 동생 하면서 나라 걱정과 농촌 걱정을 토해내기 시작했다. 낚시도구는 준비했으나 아무도 하는 사람이 없었고 배는 맑고 경치 좋은 동해를 평화로이 미끄러지고 있었다. 안줏감을 바꾸어 가면서 바다에서 술을 먹으면 취하지 않는다고 거드름을 피우면서 마시고 또 마셨다. 나와 수산과장도 같이 휩쓸려서 똑같이 마셨다.

나는 태어나서 그날 술을 최고 많이 마신 것 같았다. 2홉들이 소주 10병 이상은 마신 것 같았다. 점심을 먹고 오후가 되자 비틀거리는 사람들이 생기더니 배에서 내려 버스에 오르자 모두 식물인간 상태가 되었다. 그렇게 대구에 도착해서 택시를 태워 모두 집으로 보내주었다. 그 후 공보관실에서 기자들에게 동해안에 뱃놀이 가자고 제안하면 기자들이 손을 저으며 다시는 안 간다고 거절한다는 얘기를 들었다.

칠곡 부군수·서기관 비서실장

공보관으로 근무한 지 1년 정도 되자 지사님께서 고생을 인정해 주셨고 기자들도 공보관을 영전시켜달라는 건의를 해서 나는 2001년 2월 정기 인사에서 칠곡군 부군수로 자리를 옮겼다. 그때 그 지역 2기 민선 군수가 금품 수수 혐의로 실형을 선고받고 복역 중이어서 군수 권한대행 자격으로 근무를 하게 되었다. 그래서 아부성이 있는 군청 직원들이나 외부 인사들은 나를 '영감님' 또는 '군수님'이라고 불렀다. 처음에는 그렇게 부르지 말라고 하며 사양했으나 많은 사람이 오랜 기간 그렇게 부르자 점차 그 호칭에 익숙해졌다. 아부에 안 넘어가는 장사가 없다고 하더니 빈말이 아닌 듯했다.

내가 근무하게 된 칠곡군은 호국의 고장으로 왜관 전투와 다부동 전투 등 6·25전쟁 격전지로 널리 알려져 있다. 그러면서도 총리가 세 명이나 배출된 인재의 고장이기도 하고, 대구와 구미 사이에 위치한

공업 도시이기도 하다. 이곳에 가려면 경부고속도로 이용 시 왜관 IC를, 중앙고속도로 이용 시 다부동 IC를 통과해야 한다. 대구시가 광역시가 되면서 칠곡군 칠곡읍이 대구시로 편입되어 칠곡 IC가 대구시 북구 중앙고속도로상에 설치됨에 따라 칠곡군청을 찾는 사람들이 혼동을 일으키기도 한다.

칠곡군은 대구와 인접해 있어서 공원묘지가 많다. 그래서 살아서 걸어 다니는 사람보다 산에 누워있는 사람이 더 많다는 우스갯소리가 그 지역에 있다. 추석 성묘 시에는 도로가 막혀서 성묘객들을 위한 특별 수송대책을 수립해야 했다. 그리고 칠곡에는 나환자 집성촌 두 곳 있었다. 그들은 주로 양계 사업으로 생계를 유지했고 자녀들은 대도시에 나가서 살아서 외모로는 구별이 잘 안 되었다. 내가 부임하자마자 나환자촌에 인사차 들려서 악수도 하고 예배도 같이 보고, 내주는 음료수도 받아 마시자 이장을 비롯한 주민들이 무척 좋아했다. 그 후에도 내가 방문하면 주민들이 몰려나왔고 서로 나와 악수하려고 모여들었다.

도내 첫 벼베기 행사

나는 군수권한대행으로 1년 반 정도 근무하면서 정말 많은 경험을 했다. 서원과 국조전(단군을 모신 곳) 그리고 향교 제례 시 3차례 초헌관으로 초청되었는데 날씨가 더웠고 절차가 복잡하여 무릎이 까지는 등 고생을 많이 했다. 또 하루는 가산면에 산불이 나서 밤새도록 내가 현장지휘를 했다. 밤에는 산이 타더라도 인명피해가 발생하지 않도록 했다. 그다음 날 오전에 헬기를 동원하여 불길을 잡은 후 방화범도 잡았는데, 그 범인은 방화범으로 복역하다 갓 석방된 '날다람쥐'라는 별명을 가진 사람이었다.

칠곡군 지천면 신동재 부근에는 아카시아가 많다. 아카시아꽃이 필 무렵에 이곳에서는 아카시아 축제가 열렸다. 그런데 꽃을 주제로 하는 축제날짜를 정하는 것은 항상 골칫거리였다. 어떤 해는 일주일 정도 일찍 꽃이 피는 경우도 있었고, 어떤 해는 일주일 정도 늦게 피는 경우도 있었다. 산기슭에는 꽃이 피었으나 산 정상 부근에는 아직 피지 않는 경우도 있고, 산 정상 꽃이 피면 산기슭 꽃은 시들어버렸다.

기자들은 자기들 입맛대로 기사를 썼다. 꽃이 안 피었다느니, 꽃이 졌다느니 하면서. 그리고 축제장 부근에 사람 모양의 목각인형을 몇 개 세우면서 남·여 성기 모양을 그대로 노출시켰더니 풍속에 위반되고 어린이들 교육상 좋지 않다는 항의가 있어, 그 인형에 바지와 치마를 만들어 입혔다. 그러자 짓궂은 사람들이 치마를 들었다 놨다 하면서 장난을 쳤다.

아카시아 축제장 모습

그해 가을에 도지사배 공무원 축구대회가 영덕군에서 열렸다. 영덕에는 고등학교 축구부가 있어서 전통적으로 공무원 축구팀이 강했다. 우리 칠곡군에서도 출전을 했는데, 선수단에서 군수님도 안 계시니 군민 사기 앙양을 위해 우승을 해보겠다는 욕심으로 부정선수를 한 명 출전시켰던 것 같다. 그런데 그 부정선수가 너무 잘해서 우리 팀이 결승전까지 진출해 결승전에서 주최지인 영덕군청팀과 붙게 되었다.

자기 팀이 우승하리라 생각한 영덕군수도 참석한 가운데 결승전이 진행되었다. 전반에 우리 팀이 세 골을 넣자 영덕군수가 가장 공을 잘 차는 사람이 공무원 맞는지 확인해 보라고 지시를 하는 바람에, 부정선수 출전이 들통나고 말았다. 공무원증도 가짜로 만들어서 출전했기 때문에 중간 휴식시간 때는 공문서 위조라는 협박까지 받았다. 그래서 후반에 자살골을 포함해서 네 골을 허용하고서야 문제는 해결되었다. 그런데 이번에는 군 출입기자들이 문제를 삼고 나서는 것 아닌가? 내가 직전에 공보관으로 근무하다 칠곡군으로 와서 본사에 부탁해서 기사화되는 것을 막느라고 애를 먹었다.

한번은 어느 지방신문사 기자가 군수가 없어 공무원들의 기강이 해이하다는 칼럼을 쓰면서, '애비 없는 자식'이라고 제목을 뽑은 일이 있었다. 그 기사를 보자 나는 꼭지가 확 돌았다. 그래서 간부 회의를 소집해서 처리 방안을 논의한 결과, 군청과 읍·면·동에서 해당 신문 구독을 전면 중단하기로 했다. 공무원 노조를 시켜서 본사에 공식 사과를 요청하고, 군청 등 사무실에 신문을 돌리지 못하도록 실력으로 막았다. 그러자 해당 기사를 썼던 기자는 본사로 바로 호출되고, 다른 기자가 와서 사무실을 다니며 사과를 하고서야 그 신문의 재구독을 허용했다.

사람에게는 항상 좋은 일만 있는 것은 아닌가 보다. 우리 가족들은 아무런 걱정이 없이 평온한 생활을 계속해서, 주위 사람들로부터 부러움을 샀다. 그런데 2001년 말 고등학교 2학년이던 큰아들 준석이가 자주 어지럽다는 얘기를 했다. 그래도 나는 젊은 놈이 정신력이 약해서 그렇다고 야단을 치곤 했다.

그러던 어느 날 준석이가 어지럽다고 하여 집 인근 병원에서 진료를 받았는데, 의사가 정밀 피검사를 한번 해보자고 했다. 그래서 준석이 혈액을 대학병원에 보내어 정밀검사를 했더니, 백혈병이라는 것이었다. 준석이에게는 병명을 얘기하지 않고 아는 의사를 통해 병실을 확보하고, 바로 경북대병원에 입원을 시켰다.

백혈병은 쉽게 말하면 혈액암이다. 혈액 중 백혈구가 암세포에 감염되어 외부의 병균 침입에 대해 방어를 하지 못하게 되어, 각종 합병증 등으로 사람을 사망에 이르게 하는 병이다. 백혈병이 조기에 발견되어 백혈구의 감염률이 낮을 때에는 항암치료로 완치도 가능하다.

그런데 준석이는 감염률이 70%가 넘어서 골수이식 수술을 하지 않으면 안 되었다.

골수이식 수술은 환자 본인의 혈액을 모두 없애고, 골수가 맞는 다른 사람의 혈액 중에서 조혈모세포를 추출한 후 그것을 환자에게 이식하여 혈액을 새로 만드는 방법으로 실시된다. 혈액을 완전히 바꾸기 때문에 혈액형도 기증자의 것으로 바뀌게 된다. 법적으로 혈액을 바꾸는 골수이식도 장기이식 절차를 거쳐야 했다.

문제는 골수가 맞는 사람을 찾는 것과 높은 감염률, 의료보험 적용이 안 되어서 높은 비용을 부담하는 것이었다. 골수가 서로 맞을 확률은 형제간에는 25% 정도이고, 부모·자식 간에는 1/20,000이었다. 그래서 먼저 동생 남규의 골수를 뽑아 정밀검사를 했는데 다행히 둘의 골수가 맞았다. 그다음엔 병원비가 걱정이었다. 의료보험이 적용이 안 되어서 최소한 5천만 원 이상은 소요된다고 했다.

준석이는 1차 항암치료를 하고, 1개월 정도 휴식을 하며 체력을 보강한 후 골수이식수술을 하기로 했다. 수술 날짜를 잡고 준석이를 무균실에 입원을 시킨 후 기존의 감염된 혈액을 제거하고 동생 남규와 같이 눕혀서 남규의 조혈모세포를 준석이에게 이식했다. 그 조혈모세포가 준석이에게 이식된 후 준석이 몸에서 새 피가 만들어져 순환되어야 했다. 조혈모세포 외에 신선한 혈액도 1주일에 한 차례 정도 수혈해야 했다.

그래서 시민 중에서 기증을 받으려다가 칠곡에 주둔하고 있는 군부대에 부탁해서 1주일에 한 차례 열 명 정도 헌혈을 받아 바로 준석이에게 수혈했다. 또 준석이가 다니던 고등학교에서도 헌혈증서를 모아 100장 정도 보내왔고, 학부모 중에서 봉투에 10만 원을 넣어 수술비에 보태라고 보내주는 분도 있었다.

동생 남규의 조혈모세포와 헌혈자들의 피가 이식되어 정상적으로 순환될 때까지는 감염 가능성이 커 준석이는 무균 1인실에서 2개월 이상 입원해야 했다. 병실이 유리로 막혀있었고, 병실 밖에서 하루 한 차례 유선으로 통화를 하며 면회를 했다.

준석이는 나이가 어리고 성장하는 시기라 다행히 회복 속도가 빨랐다. 수술 후에는 회나 채소 등 날것은 먹지 못하게 하는 등 철저한 사후관리를 했다. 그 후 준석이는 5년 동안 재발이 되지 않아서 완치 결정을 받았다. 아내의 헌신적인 간호와 살겠다는 본인의 의지가 준석이를 살린 듯하다.

수술 후 준석이는 생일이 2개가 되었다. 4월 10일 자기가 태어난 날과 2월 25일 골수이식을 한 날이다. 수술 후 준석이가 다니던 고등학교에 떡을 좀 해 가져가서 우리는 선생님들께 감사하다는 인사를 했다. 나는 공무에 매달리다 보니 가정과 아이들에게는 정말 무관심했던 것 같다.

그러던 중 나는 또 하나의 새로운 사실을 발견했다. 그 당시 준석이는 키가 1m 90cm 정도였는데 재학 중에 그 학교의 '짱'이었다는 것이다. 짱은 그 학교에서 주먹대장이라고 했다.

그 후 자식들에 대한 나의 가치관이 바뀌었다. 가족의 재발견인 셈이다. 아이들은 건강하고 다른 사람을 배려하며, 공부와 직업선택은 자기들이 좋아하는 것을 자율적으로 선택하는 방향으로 키우겠다고.

칠곡 부군수로 1년 반 정도 근무하고, 민선 3기 선거로 새 군수가 취임한 후 나는 다시 도청 비서실장으로 자리를 옮겼다. 민선 이후에는 비서실장 직급이 4급으로 상향되었고 지사님의 권유를 거절할 수가 없어, 나는 비서실장직을 수락하게 되었다.

상주 부시장

비서실장으로 13개월 정도 근무하고 나자 지사님께서 다시 상주 부시장으로 보내주셨다. 부군수와 부시장을 모두 하기가 쉽지 않은데 나는 참 관운이 좋은 사람이다.

상주는 역사의 고장이고 '삼백의 고장'이었다. 경상도라는 말이 경주와 상주의 첫 글자를 따서 만든 것에서도 알 수 있듯이 상주는 역사의 고장이었다. 시민들이 보수적이고 옛 전통을 존중하며 결혼도 지역 사람들끼리 하는 경향이 있었다.

삼백은 흰 것 3가지를 말한다. 쌀, 곶감, 누에고치가 그것이다. 곶감은 상주의 가장 대표적인 농산물이다. 상주지역에서도 감 재배를 많이 하지만, 주변 지역에서 땡감을 들여와서 상주에서 곶감으로 가공을 하는데 큰 곶감 공장은 매출액이 수십억 원이 넘었다.

그리고 상주는 낙동평야와 함창평야에서 양질의 쌀이 많이 생산되어 옛부터 먹을거리가 풍부한 곳이었다. 함창뜰만 하더라도 강원도 전체의 논 면적보다 크다고 한다. 그리고 양잠은 점차 사양화되어 당시에는 주로 뽕잎차와 누에가루, 동충하초 등으로 제조하였고 몇 가구 정도만 명주를 생산해서 판매하고 있었다.

또한, 상주는 자전거 도시다. 상주의 자전거는 레저형이 아니고 주로 생활형이다. 학생들 등하교 시간에는 자전거 행렬이 장관이었다. 자전거의 교통분담률이 전국에서 가장 높았다. 자전거 담당 부서도 설치되어 있었고, 공무원들도 1주일에 하루는 자전거로 출근을 하게 되어 있었다. 나도 상주에 부임한 후 자전거를 자주 사용했다. 상주 시가지가 원형의 분지 모양이라 자전거 사용이 자연스럽게 정착된 것처럼 보인다.

나는 새벽 일찍 일어나 테니스를 치거나 자전거를 타고는 해장국을 한 그릇 먹고 출근했다. 상주는 아침 해장국 문화가 아주 잘 발달하여 있다. 해장국도 시래깃국, 다슬깃국 그리고 황탯국 등 종류도 다양했고, 값도 2,000원에서 5,000원까지 아주 저렴했다. 일반 시민들도 아침밥을 집에서 먹지 않고 해장국으로 해결하고 출근하는 사람들이 많았다.

상주에 부임하자 나에게 한 가지 희소식이 들렸다. 김근수 시장님이 매일 저녁 소맥 폭탄주를 평균 열 잔 정도 마시고 퇴근하신다는 것이었다. 나도 술은 남만큼 하니까 정말 잘 왔다는 생각이 들었고, 시장님과 시 간부들도 내가 술도 잘한다고 대환영이었다. 그런데 시장님은 평일만 소맥 폭탄을 드시는 것이 아니고, 토·일요일도 빠짐없이 1년 365일 드시는 것이었다.

부임하자마자 나는 의기양양하게 소맥 폭탄 모임에 참여하였다. 그러나 일주일쯤 지나자 간의 알코올 해독이 한계에 달하고 피로가 쌓

이기 시작했다. 1개월 정도는 그런대로 버텼는데 그 후에는 도저히 따라갈 수가 없어, 간격이 점차 벌어져갔고 핑계를 찾게 되었다. 그런데 시장님은 고령에 그렇게 드시고도 새벽에 출근하시는 것이었다. 특별한 비법이 있는가 하고 여러 방면으로 알아보았으나 납득할 만한 비법은 찾질 못했다. 그리고 그 후부터는 나도 술 좀 마신다는 얘기를 하지 못하게 되었다.

소맥폭탄주 같이하던 동료들

상주에서 내가 경험한 식당 한 곳을 소개하고자 한다. 상주에서 영동으로 가는 길목 외딴곳에 허름한 건물의 백화식당이 있었다. 남편은 장뇌삼을 대규모로 재배하고 있었고 그 부인은 강원도서 시집온 분인데 집에서 닭을 키워서 닭백숙을 만들어 팔았다. 부인 혼자서 음식을 만들고 서빙을 하다 보니 점심에도 한 팀, 저녁에도 한 팀 밖에 손님을 받지 않았다. 한 팀으로 5~6명 정도 받았고 비용은 팀당 36만

원이었다.

그 식당은 항상 손님이 밀려서 예약이 어려웠다. 거기에는 이유가 있었다. 식당에 도착하면 대바구니에 손님 수만큼의 직접 재배한 장뇌삼을 내왔다. 모양이 못생겨서 상품성이 좀 떨어지는 것들이었다. 그러면 손님들이 날것으로 한 뿌리씩 씹어 먹었다. 그때 여주인이 시중에서 한 뿌리 당 5만~6만 원 정도 하는 상품이라는 것을 강조했다.

그리고 요리용 닭은 뱀을 잡아 썩혀서 구더기가 생기면 그것을 먹고 자란 것이라고 자랑했다. 닭이 뱀에서 생긴 구더기를 먹으면 털이 빠진다고 하는데, 그 집의 닭들은 정말 털이 빠진 놈들이 많았다. 닭도 매우 커서 한 팀이 한 마리면 족했다. 그리고 술은 장뇌삼으로 담근 것이었는데, 그 집안에서 마시는 것은 무료였고 무한 리필이 되었다. 그리고 마지막에 닭 국물에 녹두죽을 끓여 식사로 내주었다. 손님을 접대하는 입장에서는 식사와 술이 동시에 해결되어 비용 면에서도 유리했다.

그 식당의 월수입을 계산해 보니 월 2,000만 원이나 되었고 재료비가 들어갈 것이 거의 없었다. 하루는 내가 꼭 대접할 손님이 있어 전화했더니, 선약이 있어 안 된다는 것이었다. 내가 사정을 하자 옆방에 자리를 별도로 만들어 보겠다고 했다. 그날 저녁에 도착하자 인근 다방의 아가씨를 티켓 끊어 일을 시키고 있었다. 우리 일행은 그날 거기서 식사를 하고 여주인과 다방 아가씨와 함께 읍내 노래방에 가서 한 곡씩 불렀다.

상주는 도시와 농촌이 병존하는 고장이다. 화북, 화령 등은 해발 1,000m가 넘는 험한 산악 지역이고 상주 시내, 낙동, 함창 등은 평야지대다. 상주 화북지역 중에서도 인근 마을과 격리된 지역에 '한농복구회'라는 단체가 마을을 이루어, 친환경 농사와 사업을 하고 있었다.

농사는 비료와 농약을 전혀 사용하지 않아서, 채소에는 벌레 먹은 구멍이 숭숭 나 있었다.

그 사람들은 별도의 교육제도, 종교의식 그리고 식사문화를 가지고 있었다. 내가 농업에 관심이 많아서 몇 차례 그 마을을 방문했는데 하루는 점심 식사에 초대해 주었다. 농산과장과 몇 사람이 식사하러 갔는데 아주머니들 여럿이 모여서 정성껏 음식을 준비해 놓았었다. 그런데 모두 생식이었다. 자극성 있는 마늘, 고추 등의 양념은 사용하지 않았다고 했다.

그 마을 주부들이 정기적으로 요리대회를 하는데, 그날 음식은 수상작품을 모은 것이라고 했다. 콩으로 만든 가공한 쇠고기, 송홧가루 단석, 각종 나물 그리고 밥이었다. 밥은 보리쌀과 흰쌀을 섞은 것이었는데, 미지근한 물에 불려서 꼭 익힌 밥 같았다. 그렇게 준비하려면 1인당 비용이 어느 정도 드는지 내가 물어보았더니, 최소한 10만 원은 될 것이라고 했다. 그 후 은척면 성주봉 기슭에 한방산업단지를 조성하면서 한농복구회 친환경 식단을 재현해서 하루 30명 한정으로 운영하는 것을 제안해 보았으나, 그들이 마을 밖으로 나와서 영업활동을 할 수 없다고 하여 중단하고 말았다.

문화체육관광국장

상주 부시장으로 1년 정도 근무를 하고, 나는 다시 도청 문화체육관광국장으로 복귀하면서 3급 부이사관으로 승진했다. 문화, 체육, 관광부서는 행사가 무척 많아서 주말에는 늘 행사에 다녀야 했다. 도내에서 개최되는 여러 축제에 다니다 보니 재미있는 경험들도 많았다.

봉화 송이축제와 영덕 대게축제는 먹을거리가 풍성했고, 상주종합운동장에서 개최된 곶감축제 전야제에서는 많은 시민이 압사하는 사고가 발생하기도 했다. 영천시는 보현산 천문대 인근에서 별빛문화축제를 개최했다. 애초 축제 시기를 하늘이 높고 맑은 가을로 정하고, 날짜도 일기예보와 과거 기상기록을 종합해서 맑은 날로 잡았다. 그런데도 별빛축제를 하는 날마다 비가 오는 것이었다. 그래서 축제 시기를 봄으로 옮겨서 축제를 개최했는데 그날도 또 비가 왔다. 잔치와 나들이는 '날씨 부조가 절반 부조'라는 옛말이 딱 맞는 말이었다. 별빛축제에 비가 오다 보니 축제장은 엉망이 되었고 관광객 수도 적어서 썰렁했다.

또 문화체육관광국에서는 해외 관광홍보설명회를 1년에 몇 차례씩 개최해서 내가 단장이 되어 중국, 호주, 뉴질랜드 등을 다녀오기도 했다. 내가 그때까지 공무원 생활을 하면서 두 차례 표창을 받았는데 1991년 확인평가계장 근무 시 대통령 공약사항 관리 유공으로 대통령 표창을 받은 적이 있고, 문화체육관광국장으로 근무하면서 홍조근정훈장을 받았다. 홍조근정훈장은 내가 호주와 뉴질랜드 관광홍보설명회 기간 중 나 없는 사이에 김용대 행정부지사님이 결정해 주셨다. 그분은 내가 공직생활 하는 동안 일거수일투족 나를 챙겨주신 분이셨다. 늘 감사하고 있고 존경하고 있다.

매년 말이면 문화체육관광부에서 '시·도 방문의 해'를 결정했다. 시·도로부터 신청을 받아 한 곳을 선정하고, 국비를 20억 원씩 지원했다. 그래서 우리도 2006년 시·도 방문의 해 선정을 위해 문광부에 제안서를 제출했다. 우리도 외에 2개 시·도가 더 있었다. 2006년에는 경주세계문화엑스포가 개최될 계획이어서, 우리 도가 꼭 선정될 필요가 있었다.

그때 내 좌우명이 '안 되면 되게 하라!'였다. 문광부 담당 부서에 유치 필요성을 사전에 설명하고, 심사위 발표를 위해 파워포인트도 잘 준비했다. 그리고 타 시·도의 경우 누가 발표하느냐고 물어보니, 문광부의 지시에 따라 담당 사무관이 발표한다고 했다. 우리도 담당 사무관이 발표한다고 해놓고는 발표 당일 국장인 내가 직접 발표도 하고, 심사위원들의 질문에 확실한 답변을 했다. 당연히 2006년은 '경북 방문의 해'로 결정되었다. 결정 후 문광부 관계부서 직원들과 식사를 하며 감사의 뜻도 전했다.

각 시·도에는 시·도 문화재의 지정과 관리를 위해 문화재 관리위원회를 구성·운영하고 있다. 국장으로 보직을 받고 문화재위원회를 개최하는 날, 위원들에게 인사를 하러 갔는데 반응이 영 시큰둥한 것 같았다. 그래서 문화재위원회에 대해 조사를 해보았더니, 각종 공사나 대형사업과 관련해서 대단한 영향력을 행사하고, 학맥에 의해 결정이 좌우되기도 한다고 했다.

그래서 이러한 행태를 바꾸기로 마음먹고, 기존 위원들의 임기가 만료되는 시기에 위원들과 전문위원 절반 이상을 교체했다. 나머지 절반은 다음에 교체한다는 소문도 흘렸다. 그리고 외부위원들을 많이 영입해서 위원 풀(Pool)을 구성하고, 사안에 따라 전문성이 있는 위원으로 위원회를 구성하여 신속하게 결정하기로 하는 등 위원회 운영의 틀을 근본적으로 바꿔버렸다. 지사님께서 위원들의 반발에 대해 걱정을 하셨으나, 나한테 맡겨달라고 설득을 했고 외부 반응도 좋아서 결국 문화재위원회의 개혁은 지사님 임기 말에 좋은 성과로 기록되었다.

종교 업무도 문화체육관광국 소관이었다. 그리고 우연히 내가 경북도청 기독교 신우회 회장을 맡게 되었다. 회원은 100명 정도였고 분기별로 개최되는 기도회에는 지사님과 사모님도 참석하셨다. 믿음의 정도로 보면 나는 회장 자격이 없었으나, 기도회 때 지사님도 모시고 시·군과 연합예배를 준비하는 데 계급 높은 회장이 필요해서 맡게 되었다. 다음 해 5월 우리 도와 23개 시·군 기독교 신우 공무원 1,500명 정도가 함께 모여 연합예배도 드리고, 친목 행사도 개최했다. 그 후 매년 5월이면 시·군별로 순회하면서 연합예배를 개최하고 있다.

2006년 1월 어머니가 담도암으로 돌아가셨다. 날씨도 춥고 경황도 없어서 연락을 못 했는데도 너무나 많은 직장동료와 지인들이 찾아주어서, 내가 인생을 잘못 살진 않았구나 하는 생각을 했다. 특히 경북도청 및 대구시청 출입기자들과 언론사 관계자분들이 그렇게 많이 조문 온 것은 처음이라고 입을 모으기도 했다.

어머니가 오후 10시경에 돌아가셨는데 그다음 날 하루 준비해서 삼일장을 치르다 보니 너무 바빴다. 그리고 높은 산 능선에 모셔놓았던 아버지 묘소도 개장을 해서 같이 모시도록 준비를 했다. 그런데 그 전날 시골에 눈이 많이 와서 영구차가 들어갈 수가 없다고 했다. 포항시에서 제설차를 지원하고, 마을주민들이 트랙터로 길을 치워주어서, 어머니와 아버지를 계획대로 같이 잘 모실 수 있었다. 모든 분께 진심으로 감사했고, 두고두고 그 은혜를 갚아가야 할 것 같다.

국방대학교 안보 과정

2004년 8월 이의근 지사님의 배려로 문화체육관광국장으로 자리를 옮긴 후 승진도 하고 훈장도 받았으며 도내 여러 곳을 방문하면서 바쁘고 즐겁게 생활을 했다. 그렇게 1년 6개월 정도 근무를 하고 나는 다시 장기교육을 지원했다. 고참 국장이 장기교육을 들어가야 후속 인사가 수월해질 수 있기 때문이다. 또한, 그해 6월 말에 지방선거도 있어서 장기교육을 지원하고 싶었다. 나는 지방행정연수원은 과장 때 한번 다녀와서, 새로 T/O가 생긴 국방대학교에 입교하기로 했다. 장교로 전역을 해서 분위기도 쉽게 익힐 수 있고 다양한 인맥을 형성할 수도 있는 장점도 있었다.

국방대학교는 서울 수색에 있고, 교육 인원은 200명 정도였다. 현역 군인이 100명 정도, 중앙부처 국장, 지방자치단체 국장, 정부투자기관 국장 등이 100명 정도 되었다. 10명 정도를 1분임으로 해서 운영을 하고, 일정 기간별로 분임을 바꿔서 거의 모든 교육생이 한 번씩은 만나게 되었다. 교육과목은 국방과 안보 관련 내용이 많았으나, 사업 현장과 안보현장 방문도 자주 이루어졌다.

그리고 해외 연수는 독일, 오스트리아, 폴란드 등 유럽을 다녀왔다. 국방대에서의 운동은 말할 것도 없이, 골프가 처음이요 끝이었다. 우리 민간인도 교육 기간 1년 동안은 현역과 동등한 대우를 받아, 군 골프장을 아주 저렴하게 이용을 할 수 있었다. 여름방학 때는 골프투어를 했는데, 동해안 쪽으로 가서 각각 다른 골프장을 하루에 두 차례씩 돌기도 했다. 나도 10개월 동안 20여 차례 정도 필드를 나갔는데 국내 군 골프장은 거의 다닌 듯하다.

교육 과정에 합숙 훈련은 없었고, 나는 처음 독신자 숙소인 BOQ를 제주도 국장님과 같이 사용했다. 얼마 후 군인 아파트가 비어서 체육진흥공단 이 국장님과 방을 하나씩 쓰면서 생활했다. 아침과 저녁은 학교 내 구내식당을 이용했고, 시간이 나면 다양한 책들을 많이 읽으려고 노력했다. 저녁 시간에도 분임 별로 식사 및 술자리가 많았고, 군 아파트에 있다 보니 때로는 후배들의 술주정도 들어주어야 했다. 교육생 중 현역은 대령과 준장들로 구성되었으며, 그중 ROTC 후배들도 몇 명 있었다. 지방에서 입교한 사람들은 교육비가 많아서 술과 밥을 자주 샀다. 그리고 정부투자기관 입교생들도 본사 방문도 주선하고, 회사 차원에서 식사와 술자리를 자주 만들었다.

이렇게 맺어진 인연이 수료 후에도 분임별로, 지역별로 잘 유지·발전되고 있으며 어떤 일이 있을 때 서로 협력하고 소통하면 국내 대부분 기관에 교육 동기들이 있어서 문제 해결에 큰 도움이 되었다.

분임원들과 군 골프장에서

경제과학진흥본부장

2006년 말 국방대학교 장기교육을 마치고 2개월 정도 대기하다가 2007년 초 경제과학진흥본부장으로 보직을 받았다. 이의근 지사님은 민선 3기를 마치셨고, 김관용 지사님이 당선되셔서 도정을 이끌고 계셨다. 김 지사님이 취임하시면서 일자리를 많이 만들고 경제와 과학을 최우선으로 하는 도정을 펼치겠다고 공약하셔서 경제과학진흥본부에는 우수한 인력들이 많이 배치되어 있었고, 지사님 주문사항도 많았다.

나는 내 인적 네트워크도 최대한 활용하고 내부 부하 직원들도 잘 다독거리며 2년 정도 본부장으로 근무를 했다. 짧은 기간에 가시적인 성과를 내기는 어려웠지만, 미래 경북의 먹거리를 준비한다는 자부심으로 대학교수 등 전문가들의 자문을 받아가면서 열심히 일했고, 지사님도 경제 분야는 본부장이 지사라고 하시면서 격려와 인정을 해

주셨다.

그러던 중 도청에 새로운 인사요인이 발생했다. 도청 직원 중 국가공무원이 두 사람 있었는데, 부지사와 기획관리실장이었다. 두 자리는 행안부 몫이어서 중앙에서 내려오고 올라가고 했다. 부지사로 근무하시던 분이 중앙으로 가시지 않고 도 산하 대학 총장으로 가시고, 그 자리에 행자부 국장이 내려오게 되면 도에서 한 사람 중앙으로 올라가야 했다. 모두가 지방에서 오래 근무하다 보니 중앙부서 근무를 겁을 냈고, 주거문제를 비롯하여 비용도 많이 들어서 지원자가 없었다. 그래서 희망자에게는 도에서 소유하고 있는 서울 소재 아파트를 사용하도록 제공하기로 했다.

중앙부서 전출 희망자가 없어 부지사 인사가 늦어지고, 고시 출신 중 한 사람이 가야겠기에 내가 총대를 메기로 했다. 지사님은 경제본부장을 2년 정도 해서 경산이나 구미 부시장으로 보내주겠으니 같이 근무하자고 하셨으나, 당장 급한 것은 중앙에 한 사람이 올라가는 것이었다. 그래서 지사님 승낙을 받아, 내가 2008년 12월 29일 행안부 소속의 국가공무원으로 자리를 옮겼다.

제 9장

정부 서울청사로

행정안전부 재정정책과장으로 예산조기집행 총괄하다

2008년 말 행정안전부로 발령을 받았을 때 나는 행안부 내 부이사관 중 최고참이었다. 그러나 행안부 본부 경력이 없어, 2008년 12월 31일 자 대통령 산하 친일 반민족 진상규명위원회의 행정국장으로 첫 보직을 받았다. 이 위원회는 청계광장 입구의 민간건물을 임차해 사무실로 사용하고 있었고, 노무현 전 대통령 임기 말이라 업무도 막바지 정리를 하는 단계였다.

이 위원회에서 1개월 정도 근무를 하자 행안부 본부 재정정책과장으로 들어오겠느냐는 제안이 왔다. 다소 걱정은 되었으나 호랑이를 잡으려면 호랑이굴에 들어가야 한다고 생각하고, 2009년 2월 초 재정정책과장으로 자리를 옮겼다.

재정정책과장은 재정국 주무과장으로서 국 전체 직원들에 대한 관리도 하고 국간 업무협의도 해야 하는데, 부내 사람들을 잘 몰라서 한

동안 업무추진에 어려움을 겪기도 했다. 팀장들을 활용해서 업무를 추진했고, 복도나 엘리베이터에서 직원들을 만나면 내가 항상 먼저 인사를 했다. 2~3개월 지나자 나는 직원들도 많이 사귀고 업무도 파악이 되었다. 시간이 지남에 따라 지방자치단체나 언론과 관계되는 업무는 내가 오히려 더 잘할 수 있었다.

2009년 초 이명박 정부가 출범한 후 글로벌 금융위기로 인한 경제 회복을 위해 대대적 예산 조기 집행이 시행되었다. 국가 예산의 조기 집행은 기획재정부가 주관하고, 지방예산은 행안부 재정정책과에서 추진단을 만들어 진행했다. 국가재정과 지방재정이 경제 회복의 기폭제가 되어야 한다는 신념으로, 청와대에서도 강하게 드라이브를 걸었다. 실적을 평가해서 특별교부세로 시상도 하고, 부진 단체에 대해서는 페널티도 가했다.

지자체에서는 미리 당겨서 조기 집행을 하다 보니 이자소득이 줄어들었다고 불평을 하기 시작했다. 그래서 감소하는 이자소득에 대해서는 교부세로 보전해 주기도 했다. 이렇게 국내에서 처음 추진했던 예산 조기 집행은 어렵게 목표를 달성했고, 경제 활성화에도 크게 기여했다는 평가를 받았다.

고위 공무원 승진

재정정책과장으로 9개월 정도 근무를 하자 행안부 직원들도 대부분 알게 되었고, 업무처리 능력도 인정받게 되었다. 나는 2009년 11월 예산 조기 집행의 노고가 인정되어 고위 공무원으로 승진하여 '진실과 화해를 위한 과거사정리위원회' 행정국장으로 자리를 옮겼다.

이 위원회는 노무현 전 대통령이 만들어서 진보 성향의 연구원들을 대거 채용하여 운영하다가 이명박 대통령이 당선된 후 위원장과 일부 연구원을 보수 성향의 사람들로 교체해, 진보와 보수 연구원들 간의 내부 갈등이 매우 심했다. 나는 같은 사안을 놓고 위원들이 정반대로 해석하고 주장하는 것을 보고 매우 놀랐고 충격을 받았다. 나는 두 그룹을 두루 잘 설득하며 일을 추진했고, 사무처장이 자진사퇴한 후에는 몇 개월간 차관급인 사무처장 직무대리를 맡았다.

이 위원회의 진상 규명 신청자들은 6·25 전쟁 당시 우리 군이나 미군들에 의해 희생된 유가족들이다. 희생된 자기 가족들은 공산주의자가 아닌데도 억울하게 집단학살되거나 총살되었고, 자기들은 빨갱이 자손으로 몰려 불이익을 당한 억울함을 풀어달라는 내용이었다.

거기서 근무하는 동안 결코 전쟁은 절대로 일어나서는 안 되며, 결국 희생자는 힘없는 서민들이라는 것을 뼈저리게 느꼈다. 나는 끔찍했던 사건 현장도 방문하고, 지역별로 희생자 위령제도 지냈다. 심사를 위해 연구원들이 조사해 온 사건들을 검토하기도 했다. 정말 끔찍하고 억울한 사건들이 많았다. 그리고 어떤 때는 내 꿈속에서 희생자의 해골과 팔 그리고 다리뼈 등이 날아다니곤 했다.

그 위원회는 한시 조직이라 연구원 등 별정직 직원들은 2010년 12월 말 전원 해고되고, 행안부 직원들만 남아서 2011년 6월 말까지 청산을 하였다. 청산 절차를 진행하는 중 그해 3월에 나는 지방행정연수원 기획지원부장으로 발령받아 자리를 옮겼다. 연수원은 수원에 있었는데 교육 환경이 무척 좋았다.

교육기관 근무가 처음이었던 나는 우선 자료실의 다양한 책을 100권 정도 읽겠다는 목표를 세우고 실천에 들어갔다. 그리고 연수원 기획지원부의 주요한 업무 중의 하나가 2013년까지 전북 완주로 연수원을 이전하는 것이었다. 우리 내부 직원들이 입주할 아파트를 주선하는 일부터, 현 연수원 부지를 매각하는 일까지 복잡한 이전에 따른 업무를 차질 없이 추진하고 기공식까지 마쳤다.

외국에서온 교육 입교자들과 함께

그리고 처음 연수원으로 발령받아 가자 원장실에서 부장 2명, 주무과장 2명 그리고 원장님까지 5명이 매일 아침 티타임을 가지고 있었다. 회의 주제는 와이담을 하나씩 준비해서 돌아가며 발표를 하는 것이었는데, 다른 사람이 아는 것을 얘기하면 그다음 날 다시 발표해야 할 뿐 아니라, 부수적으로 점심을 사는 벌칙도 따랐다. 나는 시중에 나와 있는 유머 관련 책들을 두루 찾아보았으나 새로운 것들이 별로 없었고 대부분 내용도 중복되었다. 가장 유머 자료가 많은 사람은 원장님이었고, 원장님도 자료수집 차원에서 시도를 했으나 오래 지속하지 못하고 중단되고 말았다.

지방행정연수원의 근무가 오래되지 않아서 나는 지방재정국장 내정설이 돌다가 포항 출신이라는 이유로 제외되고 그해 11월 지방분권촉진위원회 분권지원단장으로 자리를 옮겼다. 나는 MB정부 말기의 레임덕 현상으로 불이익을 당한 케이스가 되었다. 그러나 지방분권지원단장은 보직 경로상 부시장·부지사로 나갈 수 있는 자리였다.

지방분권지원단은 중앙정부의 권한 중 지방에 위임하거나 이양할 필요가 있는 사무를 발굴하여, 법령 개정 등을 통하여 실행하고 업무 이양에 따른 국비 예산 지원을 독려하는 업무 등을 수행했다. 우리 위원회가 대통령 소속 기관이긴 했으나 구체적인 실행에는 여러 가지 어려움이 있었다. 그리고 그 후 나는 대구·경북 출신 공무원들의 친목 단체인 '낙동회'의 회장을 맡아 고향 후배 공무원들을 챙겼다.

박사학위 취득

나는 초등학교 5학년을 마치고 서울로 전학을 가서 서울에서 초등학교를 졸업했다. 그 후 중학교, 고등학교, 대학교 그리고 대학원을 서울에서 마쳤다. 그러다 보니 시골 초등학교를 5년 다닌 것 외에는 대구·경북에 학연이 없었다.

어느 식사 자리에서 우동기 당시 영남대 총장님과 대화 중에 박사학위를 영남대에서 이수할 것을 제안받았고, 2008년 3월 경제과학진흥본부장 재직 시 박사과정 시험을 거쳐서 총장 추천 장학생으로 박사과정을 시작했다.

박사과정 1년 차를 마친 후 서울(행안부)에서 근무하게 되었다. 정상적인 수강이 어려웠으나 중단하면 계속한다는 보장이 없어, 서울에서 주 1~2회 대구로 와서 저녁 시간 수강을 하고, 주말에 개인학습을 통해 학점관리를 하여 2년 6개월 만에 학점, 자격시험, 논문 심사 모두 마치고 행정학 박사학위를 취득하게 되었다.

특히 그 과정에 이성근 교수님, 지홍기 부총장님, 최외출 부총장님의 도움이 컸다. 깊이 감사를 드린다. 논문은 재정정책과장 재직 시 지방자치단체 재정담당자들에게 설문을 하여 자료를 수집하고, 자료분석은 행안부 지방행정연구원 박승규·서정섭 박사의 도움을 받았다. 학위논문의 심사위원장은 최외출 부총장님께서, 지도교수는 이성근 교수님이 맡아 주셨고 같이 공부하던 지역개발연구회 회원들도 많은 조언을 해주었다.

주변에서는 박사학위가 뭐 필요해서 나이가 들어서 공부하느라 고생하느냐는 말들이 있었다. 그러나 100세 시대에 언제 어떻게든 필요할 수도 있고, 개인적인 자존감을 높이는 효과, 총장님과의 약속 이행을 위해 계획대로 강행했다. 지금은 영남대학교 동창 회원이 되어 연회비도 꼬박꼬박 내고, 동창회 회보도 정기적으로 받아보는 천마 동문이 되었다.

제 10장

울산시민이 되다

2012년 여름휴가를 고향에서 보내고 있었다. 하루는 우리 가족 4명이 청송 약수탕에 가서 닭 요리를 먹고 돌아오는 길에 행안부 인사기획관으로부터 울산 부시장으로 갈 의향이 있는지를 묻는 전화가 왔다. 나는 며칠 생각할 시간을 좀 달라고 하고는 아내 등 몇 사람과 상의를 했다. 경북도 부지사 자리는 언제 비게 될지 모르니 울산으로 가는 것이 좋겠다는 의견과 기다렸다가 경북도로 가는 것이 좋겠다는 의견이 팽팽하게 대립이 되었다. 그 당시 울산 부시장으로 근무하고 있던 오동호 부시장과도 상의한 결과 울산으로 내려가기로 하고 인사기획관에게도 통보했다.

곧바로 청와대에서 나에 대한 인사 검증에 착수했고, 그러다 보니 조금씩 외부에 소문이 나기 시작했다. 하루는 사무실에 있는데 울산에 있는 포항 출신 모 신문사 기자가 소문을 듣고 나에게 전화를 해서 나의 개인 신상에 대해서 몇 가지 물었다. 나는 그때까지는 인사가 확정된 것이 아니므로 기사화하면 안 된다는 전제하에 몇 가지를 얘기했다. 그런데 그다음 날 울산 부시장 내정자라고 하면서 사진과 함께 보도가 되고 말았다.

울산 시장님은 확정되지도 않은 사항이 기사화되어서 무척 화를 내셨고, 나를 부시장으로 못 받겠다고 하신다는 얘길 들었다. 순간 나는 큰 실수를 했구나 하고 판단을 하고 인사기획관을 비롯한 인사계통에 사과를 했다. 그러고는 울산에 다른 사람을 보내고, 나는 다음에 경북도로 보내 달라는 의사를 전달했다.

그런데 전에 울산 부시장으로 근무하신 1차관님의 설득으로, 울산 시장님이 나를 다시 부시장으로 받기로 했다는 연락이 왔다. 그래서 나는 울산으로 내려갈 준비를 하면서 주변을 정리하고, 짐도 조금씩 정리를 했다.

그런데 그해 8월 중순부터 내 몸에 이상 증상이 조금씩 나타나기 시작했다. 가끔 고열이 나고 복통도 심했다. 그때까지 나는 병원에 입원해 본 적도 없었고 건강검진에서도 별 이상이 나타나지 않아서 병원엘 가지 않고 별것 아닐 거라고 생각하고 버텼다. 그런데 그 횟수가 잦아지고 증상도 심해졌다. 9월 중순이 되어 아내가 짐을 정리하기 위해 서울에 와서 며칠 머물면서 병원에 가보자고 성화를 했으나 알았다는 대답만 하고는 가지 않았다.

드디어 울산 부시장 발령이 확정되고, 9월 21일 사령장을 받으러 오라는 통보를 받았다. 발령 2일 전인 9월 19일 아침 출근을 하려는데 다시 몸에 고열이 나고 통증이 심했다. 그래서 진통제와 링거라도 맞고 출근을 하기로 하고 아내 손에 이끌려 가까운 병원 응급실로 들어갔다. 의사가 CT 촬영을 한번 했으면 좋겠다고 하여 촬영한 후 결과를 보니 긴급하게 수술을 해야 할 상황이었다. 맹장에 조그마한 구멍이 생겨 농이 나와 복부에 퍼져있을 뿐 아니라, 대장과 소장을 잇는 주변 부위를 상하게 했던 것이었다.

아내가 바로 보호자 서명을 하고 마취에 들어갔다. 수술이 끝나고 정신이 들었을 때 아내는 얼굴이 사색이 되어, 죽었던 사람이 살아난 것처럼 반가워했다. 맹장을 포함해서 소장과 대장을 잇는 부위 1근(600g) 정도를 절단하고 배 속의 창자를 모두 청소를 했다는 것이다. 그리고 그 절단 부위를 집도 의사가 아내에게 보여 주었고, 아내는 그것을 폰카로 찍어서 가지고 있었다. 의사는 통증이 무척 심했을 텐데 어떻게 참았는지 이런 미련한 사람 처음 봤다고 하면서 조금 더 진전되었으면 생명도 위험했을 거라는 얘기도 덧붙였다.

어쨌든 수술은 잘 받았으나 2일 후인 21일에는 울산시 부시장 발령 임명장을 장관으로부터 받아야 하고, 또 바로 울산으로 부임할 일이 큰일이었다. 나는 21일 아침 의사와 상의 후 진통제를 맞고 피 주머니 두 개를 양쪽 하의 양복 주머니에 넣고 종합청사로 가서 임명장을 받았다. 그리고 또 다행인 것은 21일이 금요일이라 취임식은 월요일인 24일 오후에 하기로 일정이 잡혀서 2일간 간호를 받을 수 있는 여유가 생겼다. 서울 병원에서는 병가를 내고 치료를 마친 후 내려가라고 강권했으나, 나는 신문기사 사건도 있고 해서 일단 취임을 하고 병가를 생각해 보기로 했다. 나는 24일 치료병원을 울산으로 변경하고 오후에 취임식을 가졌다.

부시장 취임사는 지방분권지원단과 울산시청에서 초안을 만들어 주었다. 하지만 나는 "누군가 해야 할 일이라면 내가, 언젠가 해야 할 일이라면 지금, 어차피 해야 할 일이라면 즐겁게"라는 말을 중심으로 조금 부연 설명을 붙여서 직접 작성했다.

취임식 날 저녁 시장님을 비롯한 시 간부들과 저녁식사를 같이 했는데, 시장님이 지난번 화가 덜 풀렸는지 분위기가 좀 냉랭한 듯했다. 그날부터 1개월 반 동안은 낮에는 사무실에서, 저녁에는 병원에서 보내는 생활을 해야 했다. 그러다 보니 병원은 1인실을 사용해야 했고 병원의 특별한 허락과 배려가 필요했다. 보건환경연구원장님이 의사여서 많이 도와주었고, 병원에서도 원장님을 비롯하여 간호사들까지 정성을 다해 관리해 주었다. 도움을 주신 분들께 무한 감사를 느꼈다.

아내도 낮에는 관사에 있다가 밤에는 병원에 나와 밤새 간호를 해주었다. 아내는 많이 놀라기도 하고 너무 걱정이 되어서 간호에 정성을 다했고, 나도 집사람밖에 없구나 싶어 아내에게 좀 더 잘해야겠다는 생각을 굳혔다. 한동안 나는 피 주머니 2개를 양쪽 양복바지 주머니 넣고 생활해야 했다. 낮에는 약으로, 밤에는 소독과 주사를 병행했다. 시간이 지남에 따라 점차 몸도 회복되어 갔다. 그리고 아내와 나는 주민등록을 울산으로 옮겼고 어느새 울산 사람이 되어가고 있었다.

7대 명산 산행

울산 하면 해안가에 현대자동차가 있는 산업도시로 알려져 있지만, 울산 시가지 주변은 해발 1,000m가 넘는 명산들 7개가 병풍처럼 둘러싸고 있다. 그중에서도 신불산을 중심으로 한 능선들이 특히 아름답고 가을에는 갈대가 유명해서 영남 알프스라 부르며 국내외에 홍보하고 있다.

울산이 고향이 아닌 기관장들이나 일시적으로 근무하는 사람들은 그 7개 명산을 모두 등반한 후 다른 곳으로 전근하는 계획을 세우기도 한다. 나도 부임 초기에 그 얘기를 듣고, 같은 산을 반복해서 오르기보다는 7개 명산을 모두 올라 보기로 했다. 그리고 시간이 나면 시청 등산모임 동료들과 주말이나 공휴일에는 산을 즐겨 찾았다. 7개 명산 중 마지막으로 오른 산이 동대산이었는데, 며칠 후 행안부 인사기획관으로부터 전국시도지사협의회 사무총장 자리를 제안하는 전화를 받고 쾌히 승낙했다.

신불산을 오르며

공포의 S오일 원유 유출 사건

당시 울산시장님이 3선 임기 만료 후 국회의원 출마로 가닥을 잡고 선거일 90일 전에 사임하게 되어, 나는 3개월 정도 시장 권한대행직을 맡게 되었다. 어느 날 주말 고향에 가서 휴식을 취하고 있는데 S오일의 원유탱크가 터져서 원유가 유출되어 하천을 통해 바다로 흘러 들어가고 있다는 전화를 받고 급히 현장으로 달려갔다.

원유에서 유증기가 많이 발생해서 화기가 조금만 닿으면 공단 전체가 온통 불바다가 된다고 했다. 인근 민간인들은 모두 대피시키고 소방공무원들만 응급조치를 하고 있었다. 울산 소방공무원 중에는 화학 관련 전문요원이 없어 소방방재청으로부터 전문가를 급파 받아 대응을 했다. 하천으로 유입을 막기 위해 방제 펜스를 여러 겹 설치하고 중화제를 뿌렸다. 화기를 차단하기 위해 금연을 지시하고 유출된 원유를 탱크로리를 이용 다른 탱크로 실어 날랐다. 지나면서 보기에 원유탱크가 그렇게 크게 보이지 않았는데 가까이에서 보니 탱크도 크고 유출된 원유량이 어마어마했다. 소방요원들은 장비를 갖추고 근무를 하고 있었는데 내가 장비 없이 위험지역에 들어가는 것을 극구 말렸고, 나도 많이 두렵기는 했으나 시장 권한대행으로서 책임감을 가지고 현장을 직접 눈으로 확인하고 필요한 지시를 했다.

간절곶 해맞이 행사 후 헬기로 충혼탑 이동

한반도에서 일출을 가장 먼저 볼 수 있는 곳은 어딜까?

뉴 밀레니엄 세기에 접어들면서 새해 첫날 해맞이 행사가 자치단체별로 유행처럼 다양하게 열렸다. 동해안 도로는 마비되고 차 안에서 새해를 맞는 해맞이 여행객들도 많았다. 울산 간절곶이 1월 1일 전후해서는 한반도에서 가장 먼저 해가 뜨는 것으로 소문이 나서 해맞이 관광객들로 이곳 주변이 인산인해를 이루었다. 부산의 관광객들은 여객선을 타고 간절곶 앞바다에 와서 일출을 맞는 해프닝도 벌어졌다.

지역 기관장들은 새해 첫날 일출을 보고는 곧바로 현충탑에 가서 호국 영령들에게 분향을 해야 하는데 육로가 막혀서 충혼탑까지 가는데 한나절이나 걸렸다. 그래서 간절곶에서 울산대공원까지를 소방헬기로 몇 차에 걸쳐 기관장들을 운송했다. 고생에 고생을 하는 시민과 관광객들이 보기에는 시선이 곱지 않았다. 지역신문에 비판기사가 크게 나고 시민들의 질타도 이어졌다. 그 후 해맞이 행사를 울주군에 넘기고 울산시는 충혼탑 참배로 새해를 시작하게 되었다.

떼까마귀는 길조일까, 흉조일까?

내가 어릴 때는 까치는 길조이고, 까마귀는 흉조라고 생각했다. 까마귀가 외모도 검고 울음소리도 아름답지 못한 탓으로 여겨진다. 그런데 외국에는 까마귀를 길조로 여기는 나라들이 있다고 들었다. 우리나라 텃새인 까마귀는 몸집도 조류 중에는 큰 편에 속하고 통상 몇 마리 정도씩 무리 지어 다니는 것이 포착되곤 한다.

그런데 울산 태화강 대숲에는 겨울 철새인 떼까마귀(갈까마귀) 수만 마리가 찾아와 겨울을 난다. 크기는 텃새인 까마귀보다 작아 비둘기 크기만한데 떼 지어 생활하는 것이 특징이다. 원래 서식지는 시베리아로 알려져 있으며 수만 마리가 떼를 지어 서식하고 이동을 하는데 그 모습이 장관이다. 태화강 대숲에 둥지를 틀고 집단 서식을 하며 이른 아침 1만 5천 마리 정도가 집단으로 언양, 경주, 영천으로 먹이 활동을 나갔다가 저녁 해 질 무렵 집단으로 서식지로 돌아올 때 높은 하늘에서 집단 군무를 펼치는데 그 모양이 장관이고 울산의 명물 관광 거리로 자리를 잡았다.

처음에는 떼까마귀가 제주도에 둥지를 틀었으나 배설물로 인해 주민불편이 커서 쫓겨난 후 울산 태화강변 대나무숲으로 서식지를 옮겼다고 한다. 울산시도 배설물로 인한 민원으로 같은 고민에 빠졌으나 시민 의견조사를 거쳐 울산의 명물로 키우기로 결정하고 먹이도 주고 보호단체도 결성했다. 그리고 떼까마귀의 배설물로 차량, 의복 기타 재산상 피해를 본 주민들에게는 세차비, 세탁비 명목으로 보상을 해 주고 서식지 인근 주민들을 설득하기 위해 해외여행을 보내주기도 했다. 이처럼 다각적인 노력의 산물로 떼까마귀는 울산의 주요 관광 거리로 자리매김하게 되었다.

최근 관광객들이 떼까마귀 배설물 폭탄을 맞은 경우 신고하면 즉시 5만 원을 배상해 주고 있다는 기사를 보았다. 그리고 울산시의 노력에 힘입어 떼까마귀 개체 수도 급격하게 증가했다고 한다. 그리고 울산시에서는 '철새 홍보관'을 만들고 5D 영상을 준비하여 관광객들에게 떼까마귀의 여정과 군무 등을 소개하고 있고 울산의 이색 관광 이벤트로 발전시켜 나가고 있다.

고래의 수도, 장생포

울산을 상징하는 대표적인 동물이 바로 고래다. 고래는 종류도 많고 크기도 다양하다. 울산에서도 예로부터 장생포가 고래로 유명했다. 그곳에 고래 박물관이 있고 고래 유람선이 고래 관찰 관광을 위해 매일 출항하고, 돌고래쇼장도 마련되어 있다. 전국에서 잡힌 고래 대부분은 장생포에서 경매되고 해체된다고 한다.

그리고 장생포항 주변에는 고래 전문식당들이 10여 개 집적되어 있다. 그곳 고래고기 식당에서는 고래고기만 팔고, 생선회 등 다른 음식은 팔지 않는다. 주메뉴도 고래고기이고 식사할 때 찌개도 고래고기 찌개가 나온다. 처음에는 느끼해서 된장찌개 생각이 나기도 했지만 곧 익숙해졌다. 외부에서 손님이 오면 고래고기를 주로 대접했다. 그러다 보니 나는 하루에 점심, 저녁 두 번을 고래고기를 먹는 경우도 있었다.

고래고기의 가격은 쇠고기의 1.5배 정도다. 대부분의 외부 손님들은 썩 좋아하지는 않더라도 별미라고 해서 고래고기를 맛보았다. 한번은 중앙부처에서 손님들이 여러 명 왔는데, 그중 한 명이 도저히 고래고기를 못 먹겠다고 해서 치킨을 외부에서 배달시킨 적도 있었다. 나는 2년여 울산에 근무하면서 고래고기 마니아가 되었고 고래고기 전도사가 되었다.

시민들이 지키는 태화강 국가정원

큰 도시들은 대부분 큰 강이나 하천을 품고 있다. 그 물줄기를 도시민들의 젖줄이라고도 한다. 도시형성에서 물은 필수 불가결한 요건이다. 인간들이 예로부터 물길을 따라 군집하여 사는 것으로도 알 수 있다.

울산광역시를 지나 동해로 흘러드는 강은 태화강이다. 길이는 47.54㎞이다. 울산광역시 울주군 두서면 내와리 백운산 동쪽 계곡에서 발원해 미호천이라 불리며 남동쪽으로 흐른다. 구량천과 반곡천 등과 합류하여 대곡천이라 불리며 사연호를 이룬다. 범서면 사연리에서 상북면 덕현리 높이 966m 지점에서 동류하는 물줄기와 합류한 뒤 동쪽으로 유로를 바꾸어 시내를 관류하며, 경상북도 경주시 외동읍 활성리에서 발원한 동천과 합한 뒤 울산만에 흘러든다. 하천 이름은 신라 선덕여왕 때, 자장율사가 울산시 태화동에 세웠다는 태화사 앞으로 흐르기 때문에 태화강이라고 부르게 되었다고 한다.

경주~울산 간의 구조곡에 위치하는 외동읍 일대의 동쪽 산록에는 선상지가 발달해 있으며, 동천과 본류가 합류하는 하류 지역에는 울산평야가 이루어졌다. 유역 내에는 쌀을 비롯해 맥류·잡곡 등과 과일·채소 등이 생산된다. 태화강의 하류 일대에는 울산공업단지가 조성되어 있으며, 각종 용수의 공급을 위해 강 유역에 사연호를 비롯해 대암호·선암저수지(仙巖貯水池) 등이 건설되었다.

상류 유역에는 가지산 도립공원이 위치해 있으며, 울산광역시 울주군 두동면의 천전리 바위그림(국보 제147호), 상북면의 석남사·간월사, 경주시 외동읍의 관문성·경주괘릉(사적 제26호) 등 문화유적이 산재해 있다. 경승지로는 홍류폭포·작천정·간월폭포 등이 있으며, 경부고속도로와 울산고속도로가 지난다.

태화강 하류에는 태화강 국가정원이 조성되어 있다. 태화강 국가정원은 울산광역시 중구에 위치해 있는데 태화 생태정원, 대나무정원, 계절정원 등과 같은 시설이 있다. 생활오수와 상업오수로 완전히 썩어가던 태화강을 우·오수 분리시설 등 오염 방지시설과 철저한 하천관리로 세계 제일의 청정강으로 만든 것은 세계를 놀라게 했고 '태화강의 환경 기적'이라 가히 말할 수 있겠다.

그것은 박맹우 시장님의 행정철학과 과감한 시설투자로 환경오염원을 우선 차단하고 불법행위에 대한 철저한 대처가 있어서 가능했다고 생각한다. 그리고 그 공로는 후손들이 늘 기억하고 뜻을 기릴 것이다. 그리고 거기에 더해 지역 대기업의 적극적인 대규모 지원과 시민들의 적극적인 자발적 정화 활동 등이 합쳐져서 이루어낸 걸작품 중 걸작품임이 틀림없다.

제 11장

차관대우 시도지사협의회 사무총장으로

가을 어느 날 울산 동대산에서 직원들과 산행을 하고 하산하던 중 행안부 인사기획관에게서 전화가 왔다. 전국시도지사협의회 사무총장으로 갈 의향이 있느냐고? 난 가족들과 상의를 위해 며칠간 시간을 달라고 했고 인사기획관도 OK 했다.

그때는 김기현 울산시장님이 새로 취임을 하셔서 '새 부대에 새 술을 담가야 한다.'라는 생각을 하던 터라 크게 고민하지 않았다. 명예퇴직을 하고 차관급 대우를 하는 그 자리로 가기로 했다. 그리고 김기현 시장님이 거창하게 마련해 주신 퇴임식 행사를 가지게 되었다. 그것이 2014년 10월 30일이었다. 공직생활을 명예롭게 마무리할 수 있도록 퇴임 행사를 잘 준비해 주신 김 시장님께 지금도 고맙게 생각하고 있다.

공직생활을 마무리하며

전국시도지사협의회는 전국 17개 광역 시·도지사들의 협의체다. 회장의 임기는 1년으로 시·도지사들이 호선한다. 주로 광역지자체의 집약된 의견을 중앙, 특히 청와대에 전달하고 광역지자체 간 협력을 강화하는 역할을 수행한다. 세계 다섯 곳(일본, 중국, 호주, 프랑스, 미국)에 해외사무소를 두고 회원단체들의 해외업무를 도우며 시·도지사들이 그 지역을 방문할 때 의전을 담당한다. 사무소는 대부분 그 지역 대사관에 입주하여 있고 직원은 현지인 1, 2인을 포함해 3, 4명 정도다. 사무총장으로 부임 후 해외사무소 현황 파악을 위해 순회를 하면서 직원들과 대화도 하고 대사분들과 식사를 하며 지방정부의 입장에 관해 설명을 하기도 했다.

한번은 삼성재단 후원으로 한중 청소년 교류 행사가 있었는데 한국 중학생 축구팀 12팀, 중국 중학생 12팀을 선발해서 중국 장춘시에서 국가대항 축구경기를 개최하게 되었다. 나는 그때 한국 지자체를 대표해서 한국에서 선수들과 아시아나 전세기를 타고 축구경기에 참가했다. 경기도 참가해야 했지만 그 지역에 조선족이 많이 살고 시장이나 당서기가 조선족이어서 대화도 수월했고 음식도 입에 맞아서 융숭한 VIP 대접을 받았다.

축구경기 성적은 한국 선수들이 월등해서 결승전을 한국팀끼리 붙는 사태가 발생했다. 한국 청소년들과 코치들은 절제된 생활과 체계적 준비를 하는 반면, 중국 학생과 코치들은 시합 전날 음주 등으로 일탈 행위를 많이 하는 것을 보고, 중국 축구가 한국 축구를 따라오는 것은 요원하다는 생각을 했다. 축구경기 스코어도 15:0, 20:0으로 크게 벌어진 경우도 발생했다. 일방적으로 이긴 것이 자랑스러운 것도 잠시, 중국 대표단장이 최종 시상식에 참석하지 않겠다고 해서 미안한 생각이 들기도 했다.

한중 청소년 축구교류 행사 개막식

민선으로 당선된 광역단체장들의 공통적인 특징 중의 하나는 절반 이상이 대선을 염두에 두고 참모진을 구성하고 대외적인 활동을 하고 있다는 점이다. 그래서 1년 임기의 협의회장 임기가 만료되면 다음 회장 자리를 놓고 서로 하려고 심하게 경합을 했다. 그리고 본인이 다음 협의회장이 되어야 한다고 자가발전하는 모습을 보였다.

그 자리도 다음 행보에 도움이 된다고 생각하는지 자기가 협의회장이 되어야 한다고 설전을 벌여 무척 당황스럽기도 했다. 한편으로는 저렇게 뻔뻔스러워야 정치를 하는구나 하는 회의감이 들기도 했다. 그 외에도 정책 건의 및 예산 배정과 관련해서는 특별·광역시와 광역도 간에 이해가 상충되기도 하고 지역개발, 투자유치와 관련해서는 수도권과 비수도권 간 의견이 서로 대립했다.

내가 근무하는 1년여 동안 한일 시도지사협의회 교류 회의가 일본 도쿄에서 1회, 한국 세종시에서 1회 개최되었다. 일본 도지사협의회는 자체적으로 비교적 큰 협의회 건물을 소유하고 있었다. 그래서 벤치마킹해서 우리도 자체 건물을 마련하는 데 참고하기 위해 비교적 상세하게 살폈다. 고층의 일본협의회 건물에는 지방자치단체 사무실과 특산물 전시장을 갖추고 있었고 지하에는 지하철이 통과하고 정류장도 설치되어 있어 정말 부러웠다.

도쿄타워 등 관광시설도 돌아보고 안테나숍이라는 이름의 지역 특산물 판매·홍보 센터도 견학하였다. 귀국 후 얼마 지나지 않아 서울에 지방자치단체들의 안테나숍이라는 이름의 홍보센터가 설치되는 것을 보고 일본의 잘하는 시책은 배워야 하겠지만 이름을 안테나로 꼭 그대로 붙여야 하는지 아쉬운 생각도 들었다. 자치 역사가 오래되고 치밀하게 선진적으로 계획을 수립하여 추진하는 일본 자치단체들에서 우리가 많은 것들을 배우고 베껴 사용하고 압축 자치 발전을 한 것도 부인할 수 없다.

그다음에는 세종시에서 교류회를 개최했다. 한국에서 교류회를 마치고 일본협의회 회장인 도쿄도지사의 출국장에는 내가 대신 환송을 나갔다. 그런데 일본 도쿄도지사님의 짐이 부피가 매우 컸다. 그래서 한국에서 무엇을 그렇게 많이 샀느냐고 물었더니 최근에 한국에서 새로 개발한 라면과 컵라면인데 일본에는 아직 안 들어와서 가까운 친척들에게 선물도 하고 가족들하고도 라면 파티를 하려고 한다는 말에 일본인들의 라면 사랑과 관심을 재확인할 수 있었다.

제 12장

영남대 초빙교수가 되다

자고 일어나니 갑자기 실업자

전국 시도지사협의회에서 근무한 지 1년쯤 지났을 때 협의회장이 이시종 충북지사에서 유정복 인천시장으로 바뀌었다. 그리고 사무총장은 차관급 대우(정무직)를 받는 자리라 임기도 정해져 있지 않았다. 어느 날 신임 회장한테서 전화가 와서 자기와 코드가 맞는 사람을 사무총장으로 앉히고 싶다고 했다.

나는 자존심이 많이 상했지만, 그렇게 하라고 했고 갑자기 실업자가 되었다. 행안부 인사팀에서는 신임 회장에게 항의를 하고 나에게도 위로를 하며 자리를 다시 마련하겠다고도 했다. 어느 날 갑자기 실업자가 되고 보니 황당하기도 하고 수입도 갑자기 연금에만 의존하다 보니 다소 부족했다.

내가 협의회에 사직서를 내자 직원들이 자발적 퇴직이 아니기때문에 다음 일자리를 구하기 위한 구직활동을 위해 실업급여를 받을 수 있도록 조치를 해주었다. 그래서 대구지방노동사무소에 구직활동 자료를 제출하여 6개월 정도 실업급여를 받아보기도 했다.

한국연구재단 프로그램 참가

그러던 중 한국연구재단에서 추진하고 있는 1급 이상 공무원들의 사회 적응을 위한 전문경력인사 초빙교수 활용 프로그램에 지원하기로 하고 대구대와 영남대 관계자들과 협의를 시작하였다. 둘 중에서 이성근 교수님이 적극적으로 도와주신 영남대 초빙교수로 지원하여 2016년 2학기부터 1과목 3학점짜리 강의를 시작하였다. 첫 학기에는 녹색성장 과목을, 2017년 1학기에는 계획재정을 맡아 강의하는 도중 행안부로부터 지방재정공제회 팀장과 건강보험심사평가원 기획이사 자리 제안이 왔다. 지방재정공제회는 서울 마포구에 있고, 건강보험심사평가원은 강원도 원주에 위치해 있었다.

고민하던 중에 경북 경산시에 있는 경북IT융합산업기술원 원장 자리 공모가 났다. 보수는 적지만 집에서 가깝고 가족들과 같이 지낼 수 있는 장점이 있어 공모에 참여하고 확정이 되었다. 행안부에서 추천

한 다른 두 곳은 행안부 후배들에게 양보하고 3년 임기의 원장으로 경산에 자리를 잡았다. 그 결과 영남대학교 초빙 교수직은 내려놓고 시간강사로 전환하여 2017년 1학기 계획재정 강의를 마무리했다.

초빙교수 오리엔테이션에서 한국연구재단 관계 단장이 한 말이 재미있어 아직도 기억하고 있다. 초빙 교수님들이 대학에서 강의 시 학생들에게 조금이라도 도움을 주려고 욕심을 내어 너무 열심히 강의 준비를 하고 강의를 하는데 학생들의 반응을 보면 영 아니라는 것이다.

학생들의 수요에 맞는 교육을 할 필요가 있고 "요즘 젊은 학생들은 외계인"이라고 생각하고 준비하고 강의에 임하라고 귀띔을 해주었다.

제 13장

경북IT융합산업기술원 원장으로 2회차 근무

모든 공모 절차를 마치고 2017년 4월 1일 경북IT융합산업기술원(GITC) 원장으로 취임 후 근무를 시작했다. GITC는 2009년에 경산시장을 이사장으로 하고 산업통상자원부 장관의 허가를 받아 설립된 비영리 재단법인이다.

그 당시 원장은 영남대 현직 교수가 겸직하면서 업무추진비 정도 지출하고 있었고, 직원 수는 약 50명 정도였다. 퇴직 당시의 직위로 봤을 때 격이 맞지 않는다는 얘기도 있었으나, 이사회에서 이런 사항을 감안하여 연봉을 조금 높여주었다. 그리고 경산시나 경북도 관계부서의 많은 배려로 스트레스 없이 근무할 수 있다는 것이 최대의 장점이었다.

근무 초기에 조직 내 갑질과 구성원 간 갈등으로 구성원들의 이직률이 높았고, 어려움을 호소하는 직원들도 여럿 있었다. 차분하게 갈등 원인을 파악하여 당사자를 불러 강경하게 경고 및 퇴사 조치를 하고 조직개편과 내부 인사 조치도 단행했다. 조직은 점차 안정되었고 사업 규모도 확장되어 갔다. 근무성적 평가 및 연구수당 배분 등을 공정하게 함으로써 직원들의 원장에 대한 믿음이 커지고 조직도 점차 안정되어 갔다. 그에 따라 직원들의 업무 자율성을 높여 즐겁고 보람된 평생직장으로 생각하도록 조직을 지속 가능화하도록 했다.

3년 경과 후 퇴직과 연임의 선택 기로에서는 기술원 직원들의 연임 지지와 경산시장(이사장)의 추인으로 연임으로 가닥을 잡았다. 이사장님의 재신임에 감사를 드린다.

뒤돌아보면 근무 6년 동안 직원 수는 50명에서 70명으로 늘어나고 사업 규모도 두 배 정도 커졌다. 지금의 연구동을 5층으로 2차례의 사업으로 완공을 했고, 경산지역 연구소장협의회를 창립하여 230명 회원으로 발전시켰다. 그리고 화장품 분야도 참여하여 경북 뷰티산업 중 디지털 뷰티 분야의 한 축을 담당하게 되었다.

6년 임기를 마치고 회상해 보니 자회사 설립과 공동투자를 적극적으로 추진하여 기술원의 미래와 직원들의 긍지를 살릴 수 있는 자립기반을 좀 더 다지지 못했다는 점이 아쉬움으로 남는다.

영국에서 도입한 자율주행 자동차 앞에서

제 14장

국가인재개발원 역량 실습 교수(FT)로

GITC 원장으로 자리를 잡은 2018년 초 국가공무원 인재개발원에 근무하던 김종현 사무관으로부터 전화가 왔다. 국가인재원에 역량 실습 교수 신규 모집이 있는데 지원해 보라는 내용이었다. 김 사무관은 경북도와 행안부에서 같이 근무한 적이 있었다.

고위공무원단 승진 시 역량평가를 받아본 경험도 있고, 기술원 업무도 어느 정도 파악이 된 상태라 지원을 했고 합격이 되어 5월부터 부담이 적은 사무관 승진 과정 교육부터 참가하게 되었다. 2020년부터는 과장 승진자 과정 교육에 참여하게 되었는데, 과장 후보자 과정의 경우 평가를 앞두고 있어서 교육 몰입도가 높고 수강생 얼굴에서 불안감, 걱정의 그림자를 쉽게 찾을 수 있었다. 개인적으로는 후배 공무원들에게 역량 관련 지식과 경험을 전수해 줄 수 있어 보람도 느끼고, 현직으로 근무할 당시의 기억을 소환할 수 있어 또 다른 의미를 찾을 수 있었다.

한 가지 에피소드를 소개하고자 한다.

5급 승진자 과정 교육에서 실습 참여의 형평성을 기하기 위해 모든 교육 참가자를 세 가지 모의과제 중 하나에 실습자로 참여하도록 하였다. 전문직으로 근무하고 있던 한 교육 참가자가 역량 실습 참가에 극도의 부담을 가졌던 모양이었다. 실습에 참여하기는 했으나 좀 서툴러 보였다. 실습을 모두 마치고 시간이 좀 남아서 실습에 대해 느낀 점을 돌아가면서 발표를 하도록 했다. 그 교육생의 차례가 되었다. 자기는 세종시에서 진천 인재원으로 출퇴근하며 교육에 참여하고 있는데 오늘 아침 인재원으로 운전해 오면서 실습에 대한 부담이 너무 커서 교통사고라도 나서 병원에 입원이라도 했으면 하고 생각했다는 것이었다.

나는 머리를 망치로 맞은 것처럼 띵했다. 그렇게 부담을 갖는 교육생도 있을 수 있다는 사실을 배려하지 못한 죄책감이 컸다. 그러나 그다음 말이 다소 위안이 되기는 했다. 이제는 어떤 모의과제든, 또 어떤 대중 앞에서의 발표도 할 자신이 생긴 것 같다는 말이었다. 그 후로는 매 교육마다 실습 참여에 부담이 큰 교육생은 예외를 인정하는 융통성을 발휘했다. 그리고 이 교육에 참여할 수 있도록 알려주고 자리 잡도록 챙겨 준 김 사무관에게도 고마움을 전한다.

제 15장

조직생활을 마무리하며

숫자로 본 나의 조직생활

우리의 90 인생을 30씩, 크게 3단계로 나누기도 한다.

처음 30년은 태어나서 성장하고 공부하는 단계이고, 두 번째 30년은 가정을 이루고 왕성하게 직장 및 개인사업 등 경제활동과 사회생활을 하는 단계이다. 그리고 마지막 30년은 모두 내려놓고 손주 재롱을 보면서 안정된 노후를 보내는 단계이다.

나는 2단계를 10년 더 연장해서 보내고 나이 70에 3단계에 접어들었다. 3단계에 발을 들려 놓으면서 이렇게 2단계 40년을 숫자상으로 정리해 본다. 30세에 조직생활을 시작하여 30년 공직생활, 1년의 사무총장, 6년의 연구원장직을 마지막으로 약 40년간의 조직생활을 나이 칠십을 목전에 두고 2023년 3월에 마무리했다. 정말 조직생활과 관련해서는 복 많이 받은 사람이다.

공직생활 30년 동안 부단체장 및 장기교육 등을 위해 약 11년 정도를 가족을 떠나 혼자 생활을 했다. 조상 묘를 명당 중의 명당에 쓴 모양이다.

그리고 내 이름 뒤에 붙는 호칭도 예비군 중대장, 계장에서 시작해서 행정부시장, 사무총장까지 무려 20개가 된다. 조직을 떠나 야인이 되자 지인들이 호칭을 뭐라고 부르면 좋을지 묻곤 한다. 자기와 인연을 맺을 당시의 호칭을 부르는 경우가 많으나, 원래 조직생활 마지막 호칭이 최후의 호칭이 되는 것이 일반적이다. 나는 원장이라고 불러 달라고 얘기한다.

조직생활 40년 동안 내가 받은 국가 표창은 경북도 확인평가계장 때 받은 대통령 표창과 국장때 받은 홍조근정훈장 2개가 있다. 특히 훈장은 호주, 뉴질랜드 연수 중에 김용대 부지사님께서 결정을 해주셨는데, 연수를 마치고 귀국해서야 알았다. 김 부지사님께서 매사 각별히 챙겨주심에 늘 감사하는 마음으로 살고 있다.

홍조근정훈장

가족들과 미국 오하이오주립대에 연구관으로 파견되어 해외 생활을 하는 경험을 비롯해 근무 기간 해외 방문 및 연수를 한 나라의 수가 동남아, 중앙아, 유럽, 북미 등 24개국에 달한다. 특히 시도지사협의회 사무총장 재직 시 한국을 대표하여 전세기를 내어 국내 중학생 축구 선수들을 데리고 중국에 갔던 일과 캄보디아 방문 시 앙코르와트에서 수도 프놈펜까지 총리 전용기를 타고 이동했던 기억이 특별한 추억으로 남아있다.

내가 가장 먼저 딴 국가자격증은 운전면허증이다. 1975년 대학 2학년 때 산학협동장학금을 받았는데, 기념이 될 만한 일이 없을까 생각하다 운전면허증을 따기로 했다. 차도 살 형편이 안 되어서 장롱면허로 보관하다 10년이 지난 후 본격적으로 사용했다.

그 후 공무원 시험공부를 하다가 짬이 나서 제1회 공인중개사 시험을 보았다. 그래서 서울시장이 인정한 제1회 공인중개사가 되었다. 전국 시도지사협의회 근무 시에는 지인이 사회복지사 자격을 인터넷 강의를 통해서 딸 수 있다고 등록을 해주어서 등 떠밀려 하게 되었다. 나이가 나이이다 보니 부부간 상호 요양을 위해 2021년 요양보호사 자격증을, 2023년 수혜자의 입장에서 텃밭을 즐기고자 치유농업사 자격증을 취득했다.

요즘은 결혼식에서 주례의 역할이 미미해졌지만, 한때는 예식장마다 전속 주례가 있었고 주례가 가문의 권위를 상징하기도 했다. 뒤돌아보니 10회 정도 주례를 한 것 같다. 40대 중반 칠곡군 군수권한대행으로 근무 시 군 과장들 자녀들 주례를 시작으로 같이 근무하던 부하 직원들이나 친구 자녀들이 주 대상이었다. 나 스스로 인생을 모범적으로 살지 못하면서 인생을 새 출발 하는 젊은 부부에게 덕담을 하는 것이 외람된 듯해서 주례는 최대한 사양하려고 했다. 주례를 부탁했는데 승낙하지 않는다고 섭섭해하며 연락을 끊은 지인들도 있었다.

내 마음에 새긴 좌우명들

좌우명이란 늘 자리 옆에 갖추어 두고 생활의 지침으로 삼는 말이나 문구를 말한다. 조직 내에서 업무와 관련해서는 ▲누군가 해야 할 일이라면 내가 먼저 하고 ▲언젠가 해야 할 일이라면 지금 하고 ▲어차피 해야 할 일이라면 즐겁게 하자는 세 가지를 모토로 하여 실천하려고 노력하였다. 이러한 적극적인 업무처리와 솔선수범 좌우명은 군생활에서 습득했다. 특전사의 전투 모토가 '안되면 되게 하라!'였다.

30여 년 근무하는 동안 도지사 비서실에서 근무한 기간이 길었고, 네 차례 지사님들을 모셨다. 그 기간 근무 모토로 삼은 것이 '세상에 비밀은 없다.'라는 것이었다. 비서실이란 명칭에서도 알 수 있듯이 비교적 고급 정보를 많이 다루면서 혀를 통제하는 것이 필요했고 어려웠다. 업무와 관련하여 억눌렸던 감정들을 가족들에게 폭발하는 경우가 많았는데 지금도 미안한 마음이다.

조직 생활을 하다 보면 즐거운 일도 있지만 어렵고 괴로운 일이 더 많다. 이때 위로의 문구로 '이 또한 지나가리라.'라고 마음먹곤 했다. 물론 일이 잘 풀릴 때도 교만하지 말아야 하며 어려울 때를 대비해야 한다.

이 세상에 공짜는 없다. 그 공짜는 곧 뇌물이다. 지금까지 조직생활 중 가장 잘한 일 중 하나는 공짜와 단절했다는 점이다. 승진과 관련하여 현금카드나 책 속에 넣은 현금 등 몇 차례 경험이 있었는데 야단도 치고 정중하게 거절도 한 것이 지금의 나를 지켜주었다고 믿는다. 갈등이 생기거나 유혹이 있을 때 내가 원칙에 따라 판단하고 실천하도록 버팀목이 되어 준 손자병법과 관련된 일화가 있어 소개하고자 한다.

중국의 춘추전국시대 이웃 오나라 왕 합려가 '손자병법'을 쓴 손자를 군 지휘관으로 스카우트한 후 그의 실전 능력을 테스트하기로 하였다. 이론과 실제는 다를 수 있으므로 실전 능력을 알아보기 위해 손자에게 궁녀 180명을 정예군대로 만들 것을 제안하였다.

손자는 왕으로부터 지휘권을 위임받은 후 궁녀들을 90명씩 2개 부대로 나누고 왕이 가장 총애하는 궁녀를 각각 부대장으로 임명하였다. 그리고 앞으로 하면 가슴을, 뒤로하면 등쪽을, 좌로 하면 왼손을, 우로 하면 오른손을 보도록 명령을 내렸다. 처음엔 궁녀들이 농담으로 생각하고 킥킥거리며 장난을 쳤다.

그러자 손자는 내가 내린 명령이 불명확하여 혼선이 빚어졌으며 그것은 전적으로 자기 책임이라고 전제하고 규칙을 정확하게 다시 설명하고 확인을 했다. 그리고 이제부터 명령에 복종하지 않으면 그것은 부대장의 책임이고 엄격하게 그 책임을 묻겠다고 확약을 하고 다시 앞으로! 뒤로! 좌로! 우로! 라고 명령을 했다. 궁녀들의 반응은 전과 같았다. 그러자 손자는 왕이 가장 총애하는 부대장 두 명을 앞으로 나오도록 하고 옆에 있던 도끼를 들었다. 이를 지켜본 왕이 하얗게 질리며 말렸다. 그러나 군법에 따라 참수를 강행했다.

그리고 그다음으로 왕이 총애하는 궁녀 두 명을 부대장으로 임명하고 다시 앞으로! 뒤로! 좌로! 우로! 명령하자 궁녀들의 반응은 칼같이 번개같이 변했다. 그러자 손자는 "현재 궁녀들은 정예의 군인이 되었으며 물, 불 어디에도 뛰어들 것입니다."라고 했다.

그 후 합려가 손자를 오나라 총사령관으로 임명하여 초나라, 제나라를 점령, 오나라를 천하무적이 되게 하였다. 정책은 다소 부작용이나 역기능 있더라도 지속적이고 예측 가능하도록 뚝심을 가지고 추진하는 지혜로 삼았다.

그리고 일상생활과 관련해서는 다음의 인생의 진리 5가지 (2DO, 3DON'T)를 적용하려고 노력했다.

① 갈까 말까 할 땐 가라.

② 줄까 말까 할 땐 주라.

③ 살까 말까 할 땐 사지 마라.

④ 말할까 말까 할 땐 말하지 마라.

⑤ 먹을까 말까 할 땐 먹지 마라.

마지막으로 종교 생활과 관련해서는 “항상 기뻐하라. 쉬지 말고 기도하라. 범사에 감사하라 이것이 그리스도 예수 안에서 너희를 향하신 하나님의 뜻이니라.” (데살로니가전서 5:16~18)”의 성경 말씀을 금언으로 삼고 있다.

내가 가장 좋아하는 것들

내가 가장 좋아하는 물건은 '성경책'이다. 성경책은 전 세계적으로 베스트셀러이다. 성경은 40여 명이 1,600년에 걸쳐서 기록하였고 구약과 신약, 총 66권 1,754쪽으로 구성되어 있다.

나는 원래 불교를 믿었다. 대학 때는 유명하신 서암 스님으로부터 수계를 받았는데, 법명은 정심(淨心)이었다. 아내와 아이들도 자연스럽게 주말이나 부처님 오신 날엔 사찰을 가곤 했다. 그런데 장모님의 권유로 아내가 먼저 교회에 나가고 아이들도 엄마 따라 교회에 나가면서 나는 주말이면 왕따가 되었다. 점차 나에게 교회에 같이 나가자는 강력한 회유와 압력이 가해졌다. 먼저 장모님이 새 성경책을 잘 포장해서 보내주셨다. 교회에 나가라는 것은 아니고 좋은 내용이 많으니까 시간 날 때 한번 읽어보라는 말을 덧붙여서.

마누라와 자식 이기는 장사 없다고 나는 얼마간 갈등하다가 두 손발 다 들고 교회에 나가게 되었다. 더 나아가 성경도 읽고 성경공부도 하는 기독교 환자가 되어 갔다.

2006년 직장선교회 조찬모임에서 만난 어느 목사님의 권유로 나는 아침에 일어나면 간단한 기도를 하고 한 시간 정도 성경을 읽는다. 한 시간이면 10쪽 정도 정독을 할 수 있다. 1년이면 창세기부터 요한계시록까지 2회 통독할 수 있다. 그렇게 계속해서 지난 3월에 성경 30회독을 마쳤다.

그 후 내 손이 닿는 곳에는 항상 성경책이 있다. 침대, 사무실, 시골집, 이동 시나 출장 시에는 사이버 성경이 있다. 조종사들이 비행 시 육안이나 다른 감각에 의존하면 착시현상으로 사고 위험이 있어서 기계에 의존한 계기비행을 하는데 성경은 내가 사회생활을 하는데 비행기의 계기와 같이 삶의 기준이 된다.

인간은 쉽게 잊어버리는 습성을 가지고 있다. 매일 아침 성경을 읽음으로써 나라에 충성, 부모에 효도, 친구 간 의리, 이웃 간 사랑을 되새기고 다짐한다. 주일이면 일주일 동안의 생활을 점검하고 성경적으로 살았는지 반성을 하고 새로운 계획을 세운다. 이제는 성경책을 떠난 인생을 생각할 수 없게 되었다.

내가 가장 가고 싶은 곳은 시골집이다. 내가 태어나고 자란 집으로 30년 전에 약간 고쳤으나 골격은 변하지 않았다. 어머니가 돌아가시고는 빈집인데 가마솥이 걸려 있고 구들이 놓여있다. 주말이나 마음이 뒤숭숭하면 아내와 같이 가서 아궁이에 군불을 넣고 삼겹살과 고구마를 구워 먹고 돌구들 찜질을 하고 돌아온다. 그러면 일주일 정도는 내 몸에서 아궁이의 불 냄새가 묻어나는 것 같다.

아내가 그린 시골집 모습

내가 가장 좋아하는 사람은 아내다. 젊어서는 아내가 남편에 기대어 사진을 찍지만, 나이가 들면 남편이 아내에 기대어 사진을 찍는다는 이야기가 있다. 얼마 전 아파트를 새로 샀는데 아내의 제안으로 공동 등기를 했다. 최근 노인복지센터에 회원 등록을 같이하면서 두 사람이 같이할 수 있는 운동이나 취미활동을 찾고 있다. 앞으로 서로 다름을 존중하면서 같이 할 수 있는 영역을 넓혀가야 할 듯하다.

내가 오랫동안 하고 있는 운동은 테니스다. 지금의 생활에 가장 행복을 주는 취미다. 움직일 수 있을 때까지 계속하고자 한다. 내 몸 관리에도 좋지만 회원들과의 관계도 금상첨화다. 경북도청에서 근무할 때 시작해서 20여 년 이상 계속하고 있다. 지금은 거의 중독 수준이다. 회원 50명이 되는 사설 클럽에 가입하여 운동한지도 10여 년이 넘었다. 게임도 하면서 코치의 지도도 꾸준히 받아왔다. 이제 테니스는 내 생활의 일부이고 건강의 파수꾼이다. 축구, 탁구, 골프, 배드민턴 등 다양한 운동을 해보았지만 이제는 테니스가 종착역이다.

정우회 화이팅!

제 16장

남은 나의 버킷리스트

버킷리스트란 우리 인간이 죽기 전에 꼭 하고 싶은 것(일)들의 목록을 말한다. 명칭의 유래는 'kick the bucket'이라는 옛 사형제도에 기인한다고 한다. 옛날 사형수를 교수형에 처할 때 현재와 같은 시설이 되지 있지 않아서 버킷 위에 죄수를 올려놓은 후 버킷을 발로 차서 목을 매달도록 한 데서 유래되었다는 것이다.

2007년 『버킷리스트』라는 제목의 영화가 미국에서 제작되었는데, 모건 프리먼(카터 역)과 잭 니컬슨(에드워드 역)이 주연으로 나왔다. 두 주인공 모두 시한부 판정을 받고 병실에서 만나 버킷리스트를 같이 실행해 가는 내용이다. 나는 퇴직을 앞두고 그 내용에 공감하면서 몇 차례나 반복해서 그 영화를 보았다. 여기서는 영화에서 시한부 판정을 받은 두 노인의 버킷리스트를 살펴보고 나의 미래 버킷리스트를 정리하고자 한다.

두 시한부 노인 중 상식이 풍부한 늙은 자동차 정비공 출신인 카터 챔버스(모건 프리먼 역)의 리스트는 아래와 같다.

① 장엄한 광경 보기
② 모르는 사람들 도와주기
③ 눈물 날 때까지 웃기
④ 머스탱 셸비로 카레이싱 하기
⑤ 정신병자 되지 말기

그리고 카터가 입원한 병원의 오너이자 제멋대로인 성격을 지닌 재벌 사업가인 에드워드 콜(잭 니컬슨 역)이 여기에 다음을 추가했다.

⑥ 스카이다이빙 하기
⑦ 가장 아름다운 미녀와 키스하기
⑧ 영구 문신 새기기
⑨ 중국 홍콩 여행, 이탈리아 로마 여행, 인도 타지마할 보기,
이집트 피라미드 보기
⑩ 오토바이로 중국 만리장성 질주하기
⑪ 세렝게티에서 사자 사냥하기

이제부터 앞으로 내가 살아가며 실천하고자 하는 리스트를 다음과 같이 정리하고자 한다. 이 리스트 항목들은 변동되거나 제외되거나 추가될 수도 있을 것이다.

멍게로 살아가기

농담 삼아 리더십을 분류할 때 똑똑하냐, 아니면 멍청하냐 라고 하는 기준과 부지런하냐, 아니면 게으르냐 라고 하는 또 다른 기준에 의해 똑부형, 똑게형, 멍부형, 멍게형 네 가지로 분류하기도 한다. 이 네 가지 중 어떤 리더십이 가장 바람직하며, 어떤 리더십이 가장 나쁜 것일까?

가장 바람직한 리더십은 똑부형 리더십일 것이다. 똑똑한데 부지런하기까지 하니 금상첨화이다. 그럼 가장 나쁜 리더십은 어떤 것일까? 멍부형일 것이다. 멍청한데 부지런하면 멍청하면서 게으른 사람보다 불필요한 사고를 자주 저질러 최악이 될 것이라고 본다.

그러면 나는 어디에 해당할까 생각해 보았다. 주저 없이 멍부형이라 생각했다. 어려서부터 아침형 인간이었는데, 그것도 이른 새벽형 아침 인간이었다. 아침식사하기 전에 세 시간 정도 확보해서 하루 일의 1/3을 했다. 근무 시에는 미리 사무실에 나가 그날의 일정과 보도자료, 보고자료 등을 미리 점검하고 보완하였다. 아내는 나와 생활 패턴이 많이 달라서 나와 맞추느라 고생을 많이 했다. '멍'은 바꾸기가 어려우므로 이제부터는 '부'를 '게'로 바꾸어 멍게형으로 살아가려 한다. 서두르지 않고, 한걸음 멈추었다 가는 삶, 오직 나 자신을 위한 삶을 살아가려고 한다.

치유농업에서 행복 캐기

농업은 경제적 활동임과 동시에 치유 활동이기도 하다. 최근 정부에서는 농업의 치유적 기능을 제도화하기 위하여 치유농업사 국가자격증 제도를 도입하였다. 농업은 경제적 수익을 가져다줄 뿐만 아니라 신체적 건강과 정신적 행복을 가져다준다는 것에 착안했다.

여기서 농업은 농작물 재배뿐만 아니라 동물(반려동물 포함), 농촌관광까지 포함한다. 그리고 이런 치유기능을 과학적으로 입증하여 일반인들이나 취약계층의 삶의 질 향상을 도모하고자 하는 취지에서 도입했고, 네덜란드 등 선진국에서는 광범위하게 활용되고 있다.

나도 2023년 3월 말 조직생활을 마치고 제3회 시험에서 자격증 취득에 도전하여 1, 2차 시험을 보고 치유농업사 자격증 취득에 성공했다. 농업의 치유적 기능에 관하여 공부하는 좋은 기회가 되었고, 요즘 텃밭에 가서 작물을 보거나 가까이서 노래하는 새들을 보면 도파민과 같은 행복 에너지가 솟는 것을 느낀다. 무엇보다 나 스스로 텃밭에 행복을 심고, 가꾸고, 이웃과 나누며 살아가려 한다. 그리고 기회가 되면 농업의 치유적 기능을 홍보하는 전도사로 봉사하는 꿈도 가지고 있다.

손녀 지안이와 감자캐기

취미활동에서 활기와 즐거움 찾기

최근 노년에 대비하여 사전에 준비할 사항으로 경제적인 측면이 많이 강조되고 있는데 건강을 유지하기 위한 운동, 그리고 즐거움을 주는 적당한 취미도 있어야 한다. 퇴직 후 건강을 위해 지속할 수 있는 운동 한 가지, 그리고 정서적 즐거움을 위해 악기 한 가지 정도는 다룰 수 있어야 한다고들 한다.

운동으로는 지금도 거의 매일 테니스를 하고 있는데, 힘에 부칠 때는 트레킹을 조금씩 하고 있다. 운동은 재미있고 몸에 맞아야 하는데 앞으로 신체 여건에 따라 탁구와 수영을 병행하거나 대체할 것도 고려하고 있다.

악기와 관련해서는 소질이 없기는 하나 몇 년 전부터 하모니카를 선정하고 주민복지센터에서 지도를 받았다. 지금은 조금 주춤하고 있는데, 다시 심기일전하여 연습과 수강을 병행하여 손녀 동요라도 가르치도록 해야겠다.

이제 조직생활을 마무리한 터라 마음 맞는 지인들과 팀을 만들어서 국내 100대 명산 등정, 주요 올레길 탐방, 바닷가 해파랑길 순례 등을 취미생활로 추가하여 실행하고 싶다. 집에 틀어박혀 있으면 건강과 정신이 퇴화가 된다. 쉬지 않는 걸음만이 건강한 노년을 보장해준다.

더불어 또 나 홀로

인간은 사회적 동물인 만큼 적당한 인간관계는 유지되어야 한다. 특히 퇴직 후에는 마음 편히 어울릴 수 있는 친구들과의 모임 등이 적당히 필요하다. 그런데 인간관계를 유지하는 데는 그 효용만큼 비용도 들어가므로 '낄끼빠빠'가 필요하기도 하다.

지난 연말 둘째 아들 결혼을 앞두고 내가 참여하고 있는 모임을 세어보았더니 30개가 넘었다. 큰맘 먹고 정리를 시도해 보았으나 늘리기는 쉬워도 줄이기는 쉽지가 않았다. 선배들의 경험담에 의하면 나이 더 먹고 거동이 불편해지면 만나는 사람과 모임이 자연 정리된다고 하기는 하지만. 가끔은 지인들과의 만남이 아직 살아 있다는 존재감을 확인시켜 주는 계기가 되기도 한다. 그런 만큼 서서히 줄여가야 하겠다. 둘째 아이 결혼 청첩도 아주 가까운 친척이나 친구들에 한정했다. 청첩이 상대방에게 많은 부담을 줄 뿐 아이라 내가 기록해 두고 채무자처럼 갚아야 한다는 것이 스트레스로 닦아 올 것이 뻔해서다. 지금 생각해도 잘 결정을 한 것 같다.

나이가 많아지면 공통적으로 찾아오는 손님이 외로움이다. 노환과 죽음, 어느 것도 다른 사람이 대신해 줄 수 없다. 이제 나 홀로의 시간을 당연한 것으로 받아들이고, 즐길 수 있는 연습도 해야 한다. 또 스스로의 자존감을 회복하고 자기 자신을 위한 삶을 살아갈 필요가 있다.

몇 년 전 신문에서 이런 칼럼을 보았다.

경북 안동에 자식에게 재산 물려주지 않고 다 쓰고 죽자는 결의로 뭉친 '쓰죽회'라는 모임이 있다고 한다. 돈, 재능, 사랑 등 평생 일궈온 자산을 죽기 전까지 해외여행, 탁구, 공부, 봉사활동에 기꺼이 쓰고 나누고 환원하며 삶을 누리기로 의기투합한 노인들이 회원들이다. 유산 한 푼 더 물려주겠다는 고정관념을 벗어던지자 노년의 인생은 그 자체로 행복으로 충만했다고 한다.

이제 나 자신을 위해 쓰고, 누리고, 나누며 살아가련다. 조직생활을 마치면 꼭 해보고 싶은 것이 있었다. 아는 사람이 없는 곳, 섬이나 오지 등에서 1년에 한 달 정도는 '혼자 살기'를 해보는 것이었다. 마음만 먹으면 어려울 것도 없으니 첫 번째 시도가 중요할 듯하다.

순수한 봉사활동하기

내 칠십 인생을 뒤돌아보니 내가 잘해서 이룬 일들은 거의 없다. 어려서는 부모님들 덕분에 건강하게 자랐고, 학창 시절에는 선생님들과 좋은 친구들의 도움으로 건전하고 행복하게 공부했다. 직장 생활에서는 상사분들의 자상한 지도와 동료들의 배려 덕분에 대과 없이 30년을 근무했다. 퇴직 후에는 5% 부족하지만 안정적 연금이 주어져 최소한의 인간다운 생활이 보장된다. 모두 감사드릴 일이다.

앞으로는 내가 가지고 있는 재능, 힘, 열정을 이웃들을 위하여 나누며 살아야겠다.

이제까지는 덧셈(+), 곱셈(×)의 인생을 살아왔는데, 앞으로는 뺄셈(-)과 나눗셈(÷)의 인생을 살아야겠다.

봉사활동은 종류도 많고 방법도 매우 다양하다. 내가 경험한 우리 주변의 손쉬운 봉사활동은 ▲유명 관광지에서 단체관광객들 사진 찍어주기 ▲요양원 노인들 손발톱 깎아주기 ▲목욕탕에서 다른 사람 등 밀어주기 등이 있었다. 이런 봉사활동도 생색내기가 아닌 진심 어린 접근이 필요하다.

그리고 봉사라는 명목으로 다른 사람들의 일자리나 사회취약계층의 활동 기회를 가로채어도 안 될 것이다. 봉사활동과 접목할 수 있을까 하여 요양보호사와 사회복지사 자격증을 갖추었으나 공부하는 내내 내가 케어를 하기보다는 케어를 받는다는 생각이 나를 압도한 것도 사실이다.

내가 존경하는 언론사 간부께서 나에게 지어 준 호(號)가 있는데 바로 '당인(當仁)'이다. 공자께서 "仁을 행할 일을 當해서는 스승에게도 양보하지 않는다."라고 말씀하셨다고 한다. 이름값을 하기 위해서라도 하루빨리 내가 지속적으로 실행할 수 있는 봉사활동을 찾고 실행해야 하겠다. 모든 인간관계에서 내가 먼저 양보하고 하루 한 가지씩 아주 작은 것이라도 좋은 일 하기라도 실천해 보자. 그래야 이제까지 내가 진 빚을 조금이라도 갚을 수 있을 테니까.

지인께서 지어준 나의 호(號)

나만의 레시피 개발

음식은 우리 인간이 살아가는 데 필요한 영양소를 공급해 줄 뿐 아니라 우리 삶에 행복을 가져다준다. 종래에는 살기 위해서 먹었다면 현대에는 행복하기 위해서 먹는다. 가는 곳마다 맛집을 검색하여 찾고 그 음식을 먹기 위해 오랜 시간 기꺼이 기다린다. 음식의 역할이 이렇게 바뀌고 있다.

주중에는 아내가 챙겨주는 음식을 주로 먹고, 일주일에 한두 차례 같이 외식을 한다. 주말에는 시골에서 주로 지낸다. 갈 때는 먹고 싶은 것을 메모하고 재료도 구입해서 간다. 그러나 시골 가서 눈앞의 일을 우선하다 보면 충분한 시간을 투자해서 음식을 만들어 먹기가 쉽지 않다. 주로 조리가 간단한 고기류나 라면 등 인스턴트 식품을 많이 만들어 먹는다.

이제 앞으로는 내가 좋아하고, 먹고 싶은 음식 만들기를 시골 생활에서 최우선 순위에 두어야겠다. 모든 일이 다 즐겁게 먹고 행복하게 살기 위한 수단인데 말이다. 다음 학기부터 전문가들이 운영하는 프로그램을 신청하여 체계적으로 배우기로 하자.

시골에서 쉽게 재료를 얻어 활용할 수 있는 전통 메뉴 두세 가지(갱식이, 냉이 된장국, 시래기를 활용한 음식 등)와 내가 좋아하는 면(麵) 음식 두세 가지(파스타, 메밀국수 등) 개발에 도전하고 실행하자.